UNION GÉNÉRALE D'ÉDITIONS
8, rue Garancière - PARIS VIe

ISBN 2-264-00 156-9

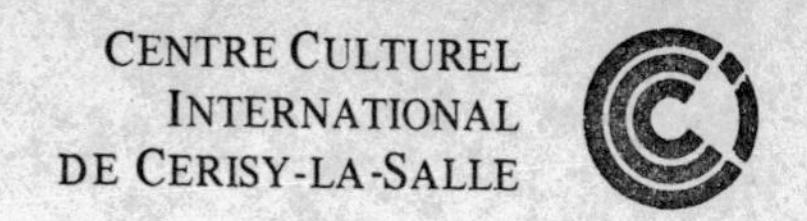

VIRGINIA WOOLF

ET

LE GROUPE DE BLOOMSBURY

DIRECTION
Jean GUIGUET

COMMUNICATIONS

David DAICHES, Peter FAWCETT, David GARNETT, Jean GUIGUET, Anthony INGLIS, Gabriel MERLE, Marie-Paule VIGNE.

INTERVENTIONS

A. ANGLES, S. BOURDEAU, J. BRANSTEN, J.-P. COLLE, V. FORRESTER, M. de GANDILLAC, A. HEURGON-DESJARDINS, Y. JOYE-DE-VRIESE, H. LEE, C. MALRAUX, L. METTETAL, J. PACE, F. PELLAN, P. SHOR, R. TARR, E. TREVES, M. WILSON.

INÉDIT

PUBLICATIONS DU CENTRE CULTUREL DE CERISY-LA-SALLE (50210)

10/18

Les Chemins actuels de la Critique : G. Antoine, S. Doubrosky, G. Genette, R. Girard, R. Jean, P. de Man, G. Poulet, J. Ricardou, J.-P. Richard, J. Rousset, B. de Schloezer, etc.

Révolutions Informatiques : P. Audoin, J. Barraud, P. Demarne, G. Dréan, J.J. Duby, R. Faure, F. Le Lionnais, J.C. Pagès, M. Philippot, L. Pouzin, J. Riguet, etc.

Art et Science : de la Créativité : J. Bertrand, A. Flocon, M. Fustier, J. Jacques, A. Kaufmann, R. Leclercq, C. Mathieu-Batsch. C. Ollier, J. Ricardou, J.-C. Risset, C. This.

Nouveau Roman : hier, aujourd'hui – 1) *Problèmes généraux :* J. Alter, R. Barilli, P. Caminade, A. Gardies, L. H. Hock, R. Jean, J. Leenhardt, S. Lotringer, M. Mansuy, J. Ricardou, F. Van Rossum-Guyon, D. Saint-Jacques.

Nouveau Roman : hier, aujourd'hui – II) *Pratiques :* M. Butor, C. Ollier, R. Pinget, J. Ricardou, A. Robbe-Grillet, N. Sarraute, C. Simon, T. Bishop, F. Meyer, B. Morrissette, H. Prigogine, G. Raillard, L. S. Roudiez, M. Tison-Braun.

Artaud : X. Gauthier, P. Guyotat, J. Henrie, J. Kristeva, G. Kutukdjian, M. Pleynet, G. Scarpetta, P. Sollers.

Bataille : R. Barthes, J.-L. Baudry, D. Hollier, J.-L. Houdebine, J. Kristeva, M. Pleynet, P. Sollers, F. Wahl.

Nietzsche aujourd'hui ? – I) *Intensités :* S. Agacinski, P. Boudot, R. Calasso, E. Clemens, G. Deleuze, J. Derrida, L. Flam, M. de Gandillac, R. Gasché, D. Grlic, P. Klossowski, J.-F. Lyotard, J.-L. Nancy, B. Pautrat, J.M. Rey, J.-N. Vuarnet.

Nietzsche aujourd'hui ? – II) *Passion :* F. Assaad-Milhaïl, E. Biser, E. Blondel, E. Clemens, J. Delhomme, C. Descamps, E. Fink,

E. Gaede, S. Kofman, A. Kremer-Marietti, P. Lacoue-Labarth, K. Lowith, J. Maurel, N. Palma, R. Roos, P. Valadier, H. Wismann.

Soljénitsyne : M. Aucouturier, O. Clément, M. Evdokimov, G. Nivat, P. Rawiez, M. Slonim, R. Tarr.

Bachelard : H. Barreau, A. Clancier, J. Follain, G. Germain, H. Gouhier, M. Guiomar, J. Lescure, R. Poirier, M. Serres, etc.

Butor : F. Aubral, J.-Y. Bosseur, D. Bougnoux, M. Butor, X. Delcourt, B. Didier, R. Kœring, J.Leenhardt, J.-F. Lyotard, L. Perrone-Moisès, P. Quéréel, G. Raillard, F. van Rossum-Guyon, L.-S. Roudiez, F. Saint-Aubyn, M. Spencer, M. Vachey, J. Waelti-Walters.

Claude Simon : P. Caminade, L. Dällenbach, A. Duncan, K. Holter, R. Jean, J. Leenhardt, S. Lotringer, A. Pugh, G. Raillard, J.-C. Raillon, J. Ricardou, F. van Rossum Guyon, G. Roubichou, L.-S. Roudiez, D. Saint-Jacques, J. Steven, S. Sykes, I. Tschinka, J.-P. Vidal.

Changement de forme : révolution, langage, I) change de forme, biologies et prosodies : P. Courrege, A. Danchin, J. Guéron, M. Halle, S. J. Keyser, P. Lusson, J. Paris, L. Robel, M. Ronat, J. Roubaud. P. Roubaud, P. Zumthor.

Changement de forme : révolution, langage, II) change matériel : folie, histoire, récit : M. Armelino, P. Boyer, Y. Buin, D. Dobbels, J.P. Faye, J.-C. Montel, T. Moreau-Hicks, J. Peignot, J.-C. Polack, B. Rémy, P.-L. Rossi, D. Sabourin, J.-M. Tisserant.

La Production du sens chez Flaubert : J. Bem, V. Brombert, R. Debrays-Genette, C. Duchet, G. Falconer, Sh. Felman, F. Gaillard, C. Gothot-Mersch, H. Mitterand, J. Neefs, C. Perruchot, J. Ricardou, J. Scebacher, M. Sicard, S. Yeschua.

Jean Paulhan le souterrain : M. Augé, M. Beaujour, Y. Beleval, J. Bersani, M. Charles, R. Etiemble, T. Ferenczi, F. Grover, G. Raillard, R. de Solier, J.-Y. Tadié, S. Yeschua, J.C. Zylberstein.

Robbe-Grillet I) : R. Barilli, L. Dällenbach, M. Fano, S. Lotringer, J.-C. Raillon, J. Ricardou, M. Spencer, J.P. Vidal.

Robbe-Grillet II) : T. Bishop, O. Chateau, R. Elabo, P. Felida, L. Frenkel, A. Gardies, F. Jost, J. Leenhardt, C. Oriol-Boyer, F. Rouet-Naudin, D. Tsepeneag, O. Veillon.

Ponge : J.-M. Adam, S. Allen, Ph. Bonnefis, J. Derrida, G. Farasse, S. Gavronsky, R. Jean, J. Guglielmi, H. Maldiney, Ch. Prigent, M. Riffaterre, M. Spada, J.-L. Steinmetz, J. Thibaudeau, J. Tortel.

Le Discours utopique : P. Ansart, M. Ansart-Dourlen, W. Bannour,

Ph. Boudon, D. Charles, R. Crahay, S. Debout-Oleszkiewicz, C.-G. Dubois, J. Gabel, M. de Gandillac, V. Gomez-Pin, J. Guiguet, B. Guillemain, D. Howard, H. Hudde, L. Hurbon, G. Labica, M. Le Doeuff, D. Leduc-Fayette, A. Lion, G. Lissa, L. Marin, A. Montefiore, C. Picon, G. Rancière, G. Raulet, A. Robinet, R. Scherer, B. Schmidt, M. Scriabine, A. Stegmann, I. Stoanova, R. Trousson.

DESCLÉE DE BROUWER

Permanence de Charles Du Bos

EDITIONS DE LA BACONNIERE
(Neuchâtel. Distribution Payot)

Entretiens autour de Gabriel Marcel

PLON

La Sexualité
La paralittérature
L'Enseignement de la littérature
Le Grand Siècle russe
George Bernanos

MOUTON

L'Histoire et ses interprétations
La Science nouvelle
Genèse et structure
L'Homme et le diable
Marcel Proust
André Gide
Henri Brémond
Le Temps
L'Art et la psychanalyse
Paul Valéry
Le Surréalisme
La Renaissance du XIIe siècle
Paul Claudel
Le Centenaire du Capital

P.U.F.

Paul Desjardins et les décades de Pontigny (Centenaire)

H.L.M. (Canada)

Le Canada au seuil de l'abondance

AVERTISSEMENT

Ce volume contient la plupart des exposés présentés, en août 1974, au colloque organisé par le Centre Culturel International de Cerisy-la-Salle[1], sur le thème « Virginia Woolf et le Groupe de Bloomsbury », avec l'essentiel des discussions qui les ont suivis.

Les textes anglais des exposés, ainsi que ceux des interventions en séance, ont été traduits par Christine Giudici, Jean Guiguet, Suzanne Levy et Marie-Paule Vigne.

Ont collaboré à la mise au point rédactionnelle, Maurice de Gandillac et Jean Guiguet ; la préparation matérielle de l'édition est due à Catherine Peyrou.

1. Les personnes désirant obtenir des renseignements sur les colloques de Cerisy et, éventuellement, y participer, peuvent écrire au C.C.I.C., 27 rue de Boulainvilliers, 75016 - Paris. France.

INTRODUCTION

par Jean GUIGUET

L'objectif de cette première réunion est de lancer la discussion et, pour cela, de définir nos objectifs. J'avoue être assez mal à l'aise dans ce rôle puisque l'un des deux termes de la relation que nous nous proposons d'explorer – Bloomsbury – est, pour moi, dénué d'existence. Je postule donc la présence parmi les participants d'esprits éclairés susceptibles de me convaincre de la réalité de Bloomsbury. Nous déplorons tous l'absence de Quentin Bell qui sans aucun doute aurait été plus que personne capable de nous aider à cerner cette mystérieuse notion de Bloomsbury et de lui donner son contenu authentique. Dans mon embarras, je me tournerai donc vers Madame Heurgon-Desjardins et lui demanderai comment elle a conçu cette conjonction de Virginia Woolf et de Bloomsbury et ce qui l'a amenée à organiser ce colloque.

Anne HEURGON-DESJARDINS : C'était un sujet dans le vent, comme en témoignent la traduction, dans *le Monde,* l'an dernier en 1973, en fragments, de la biographie de Virginia par Quentin Bell, l'émission de Viviane Forrester et la publication ultérieure de son petit livre aux éditions de *la Quinzaine.*

Jean GUIGUET : Je mentionnerai aussi le livre de Claudine Jardin. Pour écrire sa propre biographie de Virginia Woolf, Claudine Jardin attendait impatiemment celle de Quentin Bell, car elle n'avait pas accès elle-même aux documents essentiels.

Pour confirmer l'actualité du sujet, permettez-moi de citer le début de ce que j'écrivais dans le N° 3 du Tome XXVI (1973) d'*Etudes anglaises,* sous le titre « Virginia Woolf devant la critique » :

Trente ans après sa mort, Virginia Woolf prend définitivement place sur le rayon des classiques. L'intérêt des candidats à un doctorat n'est pas le seul signe sur lequel je fonde cette assertion, bien qu'une moyenne annuelle de deux thèses entre 1952 et 1968, puis de cinq à partir de 1970 soient des chiffres assez impressionnants ; je n'invoquerai pas non plus la bonne vue d'ensemble de A.D. Moody, *Virginia Woolf,* parue il y a déjà dix ans dans la collection *Writers and Critics,* ni tous les ouvrages de quelque envergure ou de quelque prétention que j'examinerai plus loin. Je pourrais citer les tirages de *To the Lightouse* tels que les révèle Leonard Woolf dans sa préface à l'étude de Mitchell A. Leaska : 11 673 pour les trois années qui suivirent la publication et 152 913 pour 1965, 1966 et 1967.

Ce qui constitue un beau record ! Autre phénomène, autre manifestation ou autre témoignage de la vitalité et de l'actualité de Virginia Woolf : la création, en 1972, du *Virginia Woolf Quarterly* sur l'initiative de Suzanne Henig. Ce périodique, publié par California State University Press à San Diego, Cal., a déjà donné quatre numéros, assez volumineux, d'une centaine de page chacun, grand format et réunissant toutes sortes de documents. L'engagement de Suzanne Henig dans le Women's Liberation Movement comme militante de première ligne confirme la participation active de Virginia Woolf dans le mouvement féministe du XXème. Il existe aussi un *Virginia Woolf Miscellany*, publié par un groupe de l'Université de Stanford : ce bulletin d'information (Newsletter) annonçait notre colloque. Plus significative encore me paraît la publication de trois recueils d'essais critiques ou de chapitres d'ouvrages consacrés à Virginia Woolf : Jacqueline E.M. Latham, *Critics on Virginia Woolf : Readings in Literary Criticism*, ed., Miami, University of Miami Press, 1970 ; Claire Sprague, *Virginia Woolf : A collection of Critical Essays*, ed., Englewood Cliffs, N.J., 1971 ; Thomas A. Vogler, *Twentieth Century Interpretation of « To the Lighthouse »*, ed. Englewood Cliffs, N.J., 1970.

A ce propos, j'écrivais dans mon article :

Bien plus que les thèses, ces ouvrages qui s'adressent aux étudiants signifient que désormais l'œuvre de Virginia Woolf fait partie du stock dans lequel les universitaires puisent pour constituer leurs programmes. Sans préjuger de leur goût, on ne peut complètement récuser leur compétence ; mais surtout, s'ils acceptent de consacrer un auteur, c'est en général que ses écrits résistent à l'examen, fournissent matière à discusion, bref, ne sont pas un éphémère produit de consommation voué à l'oubli au lendemain de son introduction sur le marché.

C'est bien en effet ce qui se passe. Je crois que Virginia Woolf a traversé son purgatoire et, douée d'un vitalité nouvelle, elle retrouve la faveur du public. La publication en 1970 de *To the Lightouse* par Morris Beja dans la collection des Macmillan Casebooks et en 1971 de *To the Lightouse* par Stella McNichol dans « Studies in English Literature » chez Edward Arnold, viennent renforcer mon interprétation. Signalons au passage que ce deux dernières publications semblent témoigner d'une faveur toute spéciale dont jouirait ce roman, bien que ceux qui s'intéressent à la technique romanesque préfèrent *The Waves.* Enfin, de 1968 à ce jour, six volumes exclusivement consacrés à Virginia Woolf ont été publiés :

Nancy Topping Bazin. – *Virginia Woolf and The Androgynous Vision.* (New Brunswick, N.J. : Rutgers University Press, 1973, 252 p., $ 9.00.). Herbert Marder. – *Feminism and Art, A Study of Virginia Woolf.* (Chicago & London : The University of Chicago Press, 1968, 190 p., $ 6.50.). Erika Dölle. – *Experiment und Tradition in der Prose Virginia Woolfs.* Zur Erkenntnis der Dichtung, Band 8. (München : Wilhelm Fink Verlag, 1971, 136 p., DM 18.). Harvena Richter. – *Virginia Woolf. The Inward Voyage.* (Princeton : Princeton University Press, 1970, 274 p., $ 8.50.). James Naremore. – *The World Without a Self. Virginia Woolf and the Novel.* (Newhaven, Conn. & London : Yale University Press, 1973, 260 p., £ 3.75.). Allen McLaurin. – *Virginia Woolf. The Echoes Enslaved.* (London : Cambridge University Press, 1973 p., £ 3.90.)

Et d'autres sont annoncés... En France, outre les deux ouvrages déjà mentionnés de Viviane Forrester et de Claudine Jardin, il convient de mentionner une traduction : *la Mort de la phalène,* Nouvelles traduites de l'anglais par Hélène Bokanowski, Préface de Sylvère Lotringer, Editions du Seuil, 1968.

Pour conclure cette revue des études woolfiennes considérées comme donnant la mesure de la popularité actuelle de la romancière, je voudrais lire un passage du deuxième numéro de *Virginia Woolf Miscellany* (Printemps 1974), qui fait écho à ce que j'écrivais presque en même temps :

Il y a dix ans, un candidat au doctorat dans le

Département d'Anglais d'une prestigieuse université du Middle West aurait lu dans la notice ronéoté « Comment choisir un sujet de thèse » qu'il convenait d'éviter l'œuvre romanesque de Virginia Woolf ainsi que d'autres sujets déjà encombrés ou épuisés par la critique. Le travail de défrichage de Daiches, Chambers, Blackstone, Johnstone, Moody et ce qui était considéré comme *la summa* de Jean Guiguet, était achevé. Il y avait une effervescence d'articles suscités par ces critiques, mais bien que Virginia Woolf ait pris rang parmi les romanciers modernes intéressants, les attaques méprisantes de *Scrutiny* (revue littéraire célèbre dirigée par le non moins célèbre Dr. F.R. Leavis de Cambridge) flottent encore dans l'air. Dans de nombreux milieux on avait l'impression que ses romans étaient des rêveries pastel à la Walter Pater dépourvues de l'armature essentielle de préocupations morales ou sociales...

Je pense n'avoir nul besoin de vous inviter à réagir vigoureusement à des jugements aussi injustifiés. Jane Novak, de l'Université d'East Anglia à Norwich, poursuit :

Tout bien considéré, l'étude de son œuvre était jugée un mauvais choix pour des néophytes dont la survie professionnelle dépendait en grande partie des occasions qu'ils auraient de publier en 1975, à l'University of Miami Press, *The Razor Edge Balance : A Study of Virginia Woolf*).

Et voici, au contraire, ce qui se passe à l'heure actuelle : « Aujourd'hui on assiste non seulement à une explosion de l'intérêt critique, mais aussi à un intérêt populaire quelque peu désordonné ». Donc, réunis pour traiter de Virginia Woolf et de Bloomsbury, nous nous trouvons en pleine actualité : actualité universitaire, actualité des spécialistes et actualité générale, intérêt du grand public : « The London *Times* Sunday magazine section demande amusé : « Quoi de neuf dans l'industrie de Bloomsbury ? » Il semble donc bien que Cerisy ait pris le vent et que, portés par la vague, il ne nous reste plus qu'à aller à l'avant.

Malgré mon scepticisme déclaré vis à vis de l'existence de Bloomsbury, je ne peux cependant nier que Bloomsbury ait été constamment à l'arrière plan de l'univers critique de tous les woolfiens. L'un des meilleurs ouvrages que j'ai pu lire lorsque j'ai tenté de faire le point de la critique woolfienne, précisément pour définir mon projet par rapport à mes prédécesseurs, est celui de la lithuanienne, peu connue en France, Irma Rantavaara. Son *Virginia Woolf and Bloomsbury* (1953), l'une des prèmières études d'ensemble sur notre romancière, est vraiment excellent. On y trouve un très bon résumé historique de ce que pouvait être Bloomsbury réunissant l'héritage de divers groupes de Cambridge. L'année suivante paraissait *The Bloomsbury Group* de J.K. Johnstone, que j'ai sans succès tenté d'inviter à notre colloque. Ce livre a beaucoup de qualités, mais n'est en réalité qu'une série d'études consacrées successivement à E.M. Forster, Lytton Strachey, Virginia Woolf et... leur cercle. Ce cercle, malheureusement, comme celui de Pascal, reste insaisissable ; son centre est partout et sa circonférence nulle part. Tous ces membres, cités et présentés par Johnstone, membres sans carte d'adhérent, ni programme commun, ni siège central attitré, peuvent bien, dans leur ensemble, être appelés « Bloomsbury » ; l'étiquette ne suffit pas à donner corps à ce qu'elle recouvre.

Par suite, j'ai trouvé des opinions qui correspondaient à ce que j'ai appelé mon préjugé. Dans son petit livre, *A Group of Old Friends,* publié en 1956, Clive Bell déclare : « Bloomsbury n'a jamais existé ». Dans son

Bloomsbury, paru en 1968, Quentin Bell adopte la même position que son père. Il est certes très regrettable que Quentin Bell ne soit pas là pour nous raconter Bloomsbury en marge de son livre. La voix et la présence nous auraient sans doute restitué exactement les rapports de l'humour et de l'irritation qui se font équilibre dans son texte. Car si la diversité des opinions contradictoires professées par les critiques du groupe peut faire sourire, il n'en est pas moins certain aussi que tous ceux qui ont été étroitement associés aux anciens de Bloomsbury peuvent être à juste titre agacés par l'impertinence, dans tous les sens du terme, de quiconque prétend avoir autorité pour parler de Bloomsbury et le juger. Certains ont considéré les membres du groupe comme des avant-gardistes forcenés, prêts à introduire le communisme en Angleterre ; d'autres au contraire les ont présentés comme des conservateurs à tout crin, s'opposant à tout progrès social, pleins de snobisme et de morgue vis-à-vie des classes populaires. Du point de vue littéraire, on trouve les mêmes divergences d'opinion. C'est pourquoi j'ai toujours été enclin à conclure que Bloomsbury n'était qu'une étiquette de journalistes et de critiques.

Etiquette commode certes : dans tous les pays, à toutes les époques, en toutes circonstances, il faut trouver un bouc émissaire, il faut quelqu'un par qui le scandale arrive ou, plus crûment encore, qui soit responsable de ce qui ne va pas. Dans l'entre-deux-guerres, l'émérgence de Joyce, Proust, Freud, pour ne rien dire de la naissance de la Russie Soviétique et la montée de l'hitlérisme, a créé des remous et des inquiétudes. Ceux qui, en politique et en littérature, de l'extrême gauche à l'extrême droite, cherchaient des causes et des raisons à ce qu'ils détestaient ou redoutaient, trouvaient facile et sans danger d'accuser Bloomsbury. Or, qu'était Bloomsbury ? C'était Virginia Woolf qui écrivait des romans ne ressemblant ni à ceux de Wells, ni à ceux de Galsworthy, ni à ceux de Bennett. C'était Keynes, qui a réformé l'économie de fond en comble et sur les idées de qui nous vivons encore. C'était Roger Fry, qui venait en quelque sorte d'inventer les post-impressionnistes, en collaboration, pour ainsi dire, avec Clive Bell – et autour d'eux, Vanessa Bell, Leonard Woolf, Virginia Stephen et... Lytton Strachey.

Toute une effervescence, tout un ferment, tout un potentiel de développements qui inquiétaient, qui troublaient, qui dérangeaient les habitudes : rien de plus normal que les réactions antagonistes qui se manifestèrent de toutes parts ; et les assaillants étaient d'autant plus à l'aise qu'ils décochaient leurs traits sur une cible anonyme. Quentin Bell a très bien montré cette impunité des ennemis de Bloomsbury : le groupe-fantôme ne contre-attaquait pas. Sans doute Virginia Woolf a souvent été tentée de répondre ; extrêmement impulsive, les nerfs à fleur de peau, à chaque piqure d'épingle, elle bondissait sur sa plume et, vigoureusement, violemment, griffonnait un article. Heureusement Leonard veillait et la dissuadait d'engager une querelle aussi dépourvue d'issue que de fondement et qu'il valait mieux laisser se perdre dans le silence. Quentin Bell donne un excellent exemple : Wyndham Lewis ayant mis en cause l'honnêteté de Roger Fry dans sa gestion des Ateliers Omega, les amis de ce dernier, persuadés de son innocence, décidèrent de ne pas répondre. Le silence fut pour l'accusateur une insulte plus cinglante que n'eût été une démonstration de l'innocence de Fry.

Il faudrait faire un parallèle entre Bloomsbury et le groupe de la *Nouvelle Revue Française*. J'attends beaucoup de Peter Fawcett à cet égard. Sans vouloir anticiper sur ce qu'il doit nous dire. Je reprendrai en une phrase ce que j'ai ébauché dans ma thèse. Essentiellement, la *N.R.F.* est une raison sociale et un organe de diffusion ;

derrière, on trouve des gens avec un programme littéraire, peut-être un programme politique, certainement un programme philosophique. Rien de tel avec Bloomsbury. La Hogarth Press démarra comme un *hobby* au double caractère artistique et artisanal ; éventuellement, il s'agissait de publier certaines œuvres en échappant au commercialisme de l'édition courante et de s'assurer une diversion saine en passant de la plume à la presse. A la *N.R.F.* on trouve l'unité d'une vision commune à plusieurs individus, et parmi ceux-ci quelqu'un qui assume une fonction de direction ou tout au moins d'orientation ; à Bloomsbury on ne rencontre que des amis liés par des affinités de tempérament, comme celles qui si souvent unissent des camarades d'université et les amènent à se retrouver souvent autour d'un tasse de thé, d'un bock de bière ou d'un whisky, pour refaire le monde.

Si on voulait comparer Bloomsbury ou le bloomsburisme à quelque chose qui ait existé en France, je dirais que c'est l'existentialisme des années 45 qui lui ressemble le plus. Les journalistes parlaient des existentialistes et de l'existentialisme : les gens sérieux parlaient de Sartre, de Camus, de Gabriel Marcel. Les premiers se référaient à une atmosphère insaisissable, les autres à des pensées très précises. L'étiquette générale, Bloomsbury, comme existentialisme, est un terme vague, inconsistant, qui devrait être banni du langage critique sérieux.

En conclusion, je voudrais formuler l'espoir qu'a fait naître en moi ce colloque. Il reste un problème, posé par le titre lui-même, et qui, je crois, n'a été abordé par personne d'une façon vraiment sérieuse : quels sont les rapports déterminants entretenus par Virginia Woolf et ces intellectuels et ces artistes parmi lesquels elle a vécu ? Je ne crois guère à la théorie, très à la mode actuellement, que je qualifierai (d'une façon lâche et inadéquate, mais suggestive) de sociologisme, et selon laquelle l'artiste est contingent, épiphénoménal, de sorte qu'en fin de compte son œuvre est moins écrite par lui que par la société dans laquelle il vit. Sans souscrire à cette théorie dont Lucien Goldmann fut un des brillants promoteurs, je crois cependant que notre personnalité ne s'arrête pas aux limites de notre corps, à la surface de notre peau. Je crois que Virginia Woolf était dans Bloomsbury ; d'entends par là tous ceux qui, avant, pendant et après la période que les historiens de la littérature assignent à l'existence de ce groupe, ont participé à la vie de Virginia. Que doit-elle à cet entourage ? Même si ce groupe n'a pas d'existence saisissable de l'extérieur, même s'il n'a ni statut légal, ni structure définie, je suis persuadé qu'il émanait de lui une atmosphère, un climat psychologique, philosophique et moral – et c'est précisément pour cela que la majorité des critiques, pour ne pas dire tous, ont été sans prise sur ce qu'ils ont hypostasié en Bloomsbury. Ils n'ont jamais écrit quoi que ce soit de valable sur ce point parce que seul un romancier arriverait à donner la qualité de cette chose spécifique qu'est un groupe humain. Je dirai plus : il faudrait un romancier de l'espèce de Virginia Woolf, un de ceux pour qui une personne n'existe pas, pour qui elle est un mélange, une combinaison de toutes les personnalités qui sont entrées en contact avec elle.

Et cela m'amène au chef-d'œuvre, à la somme, de Virginia Woolf : *les Vagues.* Le groupe de personnages qu'on y trouve – et s'agit-il de personnages ? – n'a pas plus d'existence que Bloomsbury. Et il n'y a non plus ni Bernard, ni Louis, ni Rhoda, ni Suzanne. En revanche il y a l'étrange et silencieux Perceval, le centre, le silence et l'inexistence dans lequel ils se fondaient tous : le personnage carrefour, mais aussi le personnage écartelé. Celui en qui tous les autres se rejoignent et existent, mais qui du même coup n'a pas d'existence propre car il est en chacun des autres, dispersé. Sans pousser plus loin l'analogie, ce qui serait préjudiciable à la vérité du roman et de son auteur comme à la vérité que nous nous proposons de chercher, ce que j'espère de notre colloque et de votre collaboration à tous est que Virginia devienne ce personnage privilégié et que nous arrivions à définir en elle la convergence de Leonard, de Lytton, de Clive, de Meynard, de Roger, de Vanessa, de Vita... et sa dispersion en chacun d'eux : nous aurons alors bien rempli le programme annoncé : Virginia Woolf et Bloomsbury.

DISCUSSION

Clara MALRAUX : Vous avez bien montré que ce qui a manqué à Bloomsbury, c'est un organe comme *la Nouvelle Revue Française*, ou comme *les Temps Modernes.*

Jean GUIGUET : Les membres de Bloomsbury parlaient chacun pour soi quand ils avaient quelque chose à dire; à aucun moment, ils ne se sont réunis pour présenter une sorte de programme, aucune déclaration d'intention qui permette justement un étiquetage, ou du moins un étiquetage moins incertain, polémique et pragmatique que celui qui a prévalu en ce qui concerne Bloomsbury. Il s'agissait, en effet, d'une de ces étiquettes politiques qui permettent d'atteindre n'importe qui, n'importe quand, n'importe où. On s'en est pris tantôt à Virginia Woolf, tantôt à Roger Fry, tantôt à Strachey; et chaque cas est individuel.

Clara MALRAUX : Personnellement, j'ai connu Virginia Woolf en 1936, au Congrès des Ecrivains à Londres, où je représentais l'Association des Ecrivains Révolutionnaires. Virginia Woolf a très sérieusement participé à ce congrès; autant qu'il m'en souvienne, Virginia Woolf, en trois jours, a assisté au moins à deux séances entières. Je ne me souviens pas que beaucoup d'autre membres de Bloomsbury aient participé à ce congrès.

Jean GUIGUET : Je suppose que son mari devait y être, en tant que membre du Labour Party.

Peter FAWCETT : Il y avait Forster aussi, car c'est par son intermédiaire que Virginia Woolf avait été invitée.

Jean GUIGUET : Je suppose que l'orientation du congrès était essentiellement pacifiste...

Clara MALRAUX : En face du nazisme triomphant en Allemagne, c'était plutôt une prise de position antifasciste.

Maurice de GANDILLAC : C'était le moment d'un renversement. On ne pouvait plus être pacifiste si on voulait lutter efficacement contre le fascisme.

Jean GUIGUET : Leonard Woolf a été actif dans la propagande pour la Société des Nations et il est certain qu'il a toujours été pacifiste mais, comme vous dites, il arrive un moment où le pacifisme se suicide s'il ne prend pas les armes.

Maurice de GANDILLAC : Permettez-moi de revenir sur vos remarques finales. Il m'a semblé qu'après avoir critiqué un certain sociologisme en des termes un peu caricaturaux et où Lucien Goldmann ne se serait guère reconnu, vous alliez vous-même assez loin dans le même sens pour soutenir qu'une personne, si elle ne s'explique point par le milieu, un ensemble de circonstances sociales, économiques ou politiques, pourrait être en quelque sorte déterminée par un ensemble de contacts personnels. Il me semble que c'est à peu près ce que vous avez dit.

Jean GUIGUET : Oui, vous m'avez très bien compris et mon expression ne m'a pas trahi. C'est évidemment une position qui peut paraître contradictoire, ce rejet de la perspective sociologique et, d'autre part, cette négation de la personnalité en tant qu'entité autonome, indépendante, fermée...

Maurice de GANDILLAC : Ce qui me frappe surtout c'est qu'alors le groupe de Bloomsbury, dont vous avez soutenu en quelque manière l'inexistence, devient singulièrement consistant s'il est vrai que ce furent les membres putatifs de ce groupe-fantôme qui, agissant les uns sur les autres, ont crée des personnalités comme celle de Virginia Woolf.

Jean GUIGUET : C'est une excellente objection et je vais me trouver dans une position délicate pour vous répondre. Je pourrais répondre d'une façon qui ne sera peut-être pas satisfaisante, mais qui pourra expliquer ma position. Je crois que l'individu est une somme de potentiels, et certains de ces potentiels ne s'actualisent qu'au contact d'autres potentiels. Je ne sais quel langage il faudrait adopter. J'ai un langage qui n'est ni psychologique, ni chimique, ni physique et les trois sont inadéquats. Il faudrait peut-être trouver un quatrième langage qui n'existe pas ou que je ne connais pas, qui permettrait de saisir ce que je veux dire. Je peux m'appuyer un peu sur la bio-psychologie en disant que nous avons un substratum biologique qui a des aspects psychologiques et que ce substratum est un état dormant. Imaginez qu'à la naissance nous nous trouvions isolés : que va-t-il se passer ? Isolez n'importe quel être vivant, quel qu'il soit, humain ou animal, et coupez-le de toute influence extérieure : son développement va être très réduit et il va végéter. La difficulté tient à ce que nous avons des langages pour tout ce qui est autour de nous,

nous n'avons pas de langage pour parler de nous-mêmes. Dès que, à l'inverse, vous mettez un être en contact avec quelque chose – et c'est en somme le phénomène le plus courant – le contact familial et ensuite l'école, puis les groupes auxquels on s'intègre, petit à petit vous voyez qu'il se produit une sorte d'absorption – permettez-moi de la qualifier de psychologique – qui correspond à l'absorption métabolique par laquelle l'individu grandit, grossit, se développe, passe de l'état infantile à l'état adolescent et à l'état adulte, et cette absorption, pour moi, est justement cette assimilation des autres.

Maurice de GANDILLAC : Je comprends très bien que ce que vous voulez refuser, c'est une certaine conception romantique du génie comme inspiration, qui s'imposerait en toute circonstance et quel que soit le milieu. Mais n'allez-vous pas un peu loin en sens inverse, jusqu'à sous-estimer les caractères propres de l'individu ?

Jean GUIGUET : Je ne renie pas du tout la conception romantique du génie. Je dirai même que j'y crois absolument. Seulement, ce que je crois, c'est que le génie a quand même un potentiel intense. Disons que le génie a un potentiel de mille watts par rapport à un personnage normal qui a un potentiel de cent watts, mais que les manifestations de ce génie vont dépendre essentiellement des contacts qu'il va avoir. J'imagine que, transférée dans un milieu totalement différent, Virginia Woolf aurait donné des romans totalement différents, ou pas de romans du tout. Ce n'est pas le génie que je nie. Je ne nie rien, je suis très ouvert. J'accueille la multiciplicité et je crois beaucoup à la différenciation. Je refuse les catégories et c'est pour cela que je résiste à Bloomsbury, parce que, pour moi, le fait d'employer le mot « Bloomsbury » est une façon de catégoriser et je trouve que les catégorisations nous tuent, c'est ce dont nous mourrons c'est ce dont la société meurt. Seulement ce qui est difficile, ce qui est le problème du critique littéraire, c'est de savoir ce qu'il faut chercher, ce qu'il faut étudier et en quoi consiste l'activité critique. Pour moi, la critique littéraire est l'identification avec le processus créateur. Je crois que la critique littéraire est un exercice parfaitement futile, qui ne nous mène nulle part, qui est simplement une satisfaction narcissique par laquelle n'importe quel lecteur peut refaire le chemin du créateur. Cette coïncidence avec l'acte créateur exige de la part de celui qui est en dehors qu'il parcoure tous les chemins. Imaginons que la création, la production d'une œuvre littéraire, d'un roman, d'un poème, soit l'affluence vers un confluent de tous les ruisseaux qui viennent de toutes les montagnes, de toutes les vallées dans lesquelles est passé le créateur. Il faut remonter aux sources et c'est cette remontée aux sources qui est passionnante. Seulement la carte par laquelle nous allons remonter aux sources n'existe pas. Il faut que chaque critique l'invente grâce au travail des nègres, au travail de ceux qu'on appelle les chercheurs dans notre monde moderne, ceux qui vont dans les bibliothèques, ceux qui dépouillent les lettres, ceux qui sont à l'affût de tout, qui font des interviews, etc.

Maurice de GANDILLAC : Sans doute, mais pourquoi, dans votre recherche des sources, élimineriez-vous des considérations telles que celles de Goldmann, qui peuvent avoir aussi leur prix et leur valeur ?

Jean GUIGUET : Je n'élimine pas celles de Goldmann. Ce que je reproche à Goldmann c'est de s'émerveiller de retrouver dans la bouteille ce qu'il y a mis.

Maurice de GANDILLAC : Je voulais rappeler — sans

prolonger excessivement une discussion préalable qui risque de nous écarter de notre sujet et, après tout, les prolégomènes théoriques n'ont pas tellement d'importance – que l'ensemble des influences que vous signalez comporte autre chose que des amitiés ; il comporte aussi des structures objectives; et l'analyse de ces structures ne peut ressembler à une accumulation d'anecdotes et de souvenirs. On ne peut comprendre tout à fait les gens dont nous parlons ici que par rapport à ce qu'a pu être un certain milieu anglais à une certaine époque.

Jean GUIGUET : Je souscrirai à ce que vous dites et je crois que pour comprendre les romans de Virginia Woolf une certaine familiarité avec la société dans laquelle elle a vécu est indispensable. Je voulais simplement dire – car je suis extrêmement sensibilisé à l'invasion de la littérature par les sociologues – que l'analyse sociologique telle qu'elle est pratiquée actuellement me semble nous éloigner de la réalité concrète. J'ai l'impression que les sociologues actuels ont inventé un certain nombre de schémas qui sont peut-être utiles pour ce qu'ils font, pour leur travail de sociologues, mais j'estime que pour nous, littéraires, il faudra procéder à une adaptation, peut-être à une modification de ces schémas si nous voulons les rendre utilisables. J'imagine par exemple qu'entre les chimistes et les physiciens – je ne crois pas qu'un chimiste et un physicien puissent travailler indépendamment l'un de l'autre – les concepts des physiciens, avant de pouvoir être utilisés par les chimistes, doivent être travaillés, repensés, restructurés, et inversement. Je dirai que les concepts des sociologues (je parle des sociologues d'avant-garde, ceux qui mènent le jeu actuellement) ne sont pas utilisables par les littéraires et c'est ce que je reproche à Goldmann. Et je crois que nous ne pourrons les utiliser que lorsque nous les aurons manipulés, nous leur aurons fait subir certaines modifications, certaines transmutations, que nous les aurons émoussés, peut-être déformés. Ils seront alors utilisables seulement par nous, et non par les sociologues.

Eddy TREVES : Je voudrais bien comprendre ce que vous entendez par manipulation des concepts.

Jean GUIGUET : C'est très simple. Lorsque je lis un ouvrage de sociologie, je suis en face d'une langue qui m'est aussi étrangère que le chinois. C'est évidemment regrettable et ce qu'il nous faut faire, c'est de la sociologie. Mais alors, si je fais de la sociologie, je ne fais que de la sociologie. Je crois que la société est une réalité la littérature en est une autre, comme je vous dirai que l'économie, la physique, la chimie sont des réalités. Mon point de vue est le suivant : actuellement les littéraires n'ont pas encore défini leur objet. Vous verrez une multitude de livres qui se posent la question : « Qu'est-ce que la littérature ? », à commencer par un très vieil article de Sartre, publié je crois en 1945, dans un des premiers numéros des *Temps Modernes*. Sartre, à ce moment-là, était très sociologisant et je crois qu'il n'a pas répondu à la question qu'il posait et qui aujourd'hui encore reste sans réponse.

Eddy TREVES : Puis-je vous proposer la mienne ? La littérature est une sociologie naïve.

Jean GUIGUET : Que les littéraires soient des sociologues naïfs, cela je vous l'accorde pleinement.

Peter FAWCETT : Pour en revenir à la question de l'étiquette « Bloomsbury », ne faudrait-il pas préciser qu'elle vient du groupe lui-même ? Je suis d'accord avec beaucoup de ce que vous avez dit, mais il me semble quand même qu'avant la guerre Bloomsbury a eu le sentiment d'être un groupe un peu comme les animateurs de *la Nouvelle Revue Française.*

Jean GUIGUET : Vous pensez que ceux qui se réunissaient autour de Vanessa, Virginia, Strachey, à Gordon Square ou à Fitzroy Square, en lançant ce nom de Bloomsbury, avaient l'idée de représenter une conception littéraire, sociale...

Peter FAWCETT : Sociale, morale, oui... pas tellement littéraire. Tous les historiens de Bloomsbury disent qu'il faut revenir à Cambridge et Moore. Il me semble que, vers 1910, au moment des expositions post-impressionnistes, ils ont le sentiment d'être un groupe, avec en quelque sorte Lytton Strachey en tête. C'est seulement après la guerre qu'ils se sont dispersés. Mais cette allusion à une revue me semble très intéressante. Lucy Norton, sœur cadette d'un des anciens de Bloomsbury, Harry Norton, m'a dit elle-même que comme jeune participante du groupe de Bloomsbury elle avait senti que les anciens auraient dû avoir une revue. C'était même quelque chose qui irritait un peu les jeunes...

Jean GUIGUET : Les expositions de Roger Fry étaient un geste public, un geste signé, qui représentait une sorte de mise en route. Il est bien certain que si, en 1911, il était sorti une revue qui ait eu quatre ou cinq noms associés autour de Roger Fry, le groupe aurait en quelque sorte été lancé et il y aurait eu un véritable mouvement de Bloomsbury. Je suis tout à fait d'accord sur ce point et je crois qu'on pourrait dire, comme peut-être l'ont regretté les jeunes de l'époque, qu'ils ont manqué l'occasion. Il y avait quelque chose à faire, ils ne l'ont pas fait. Et je me demande si, dans une certaine mesure, cela n'est pas assez typique du tempérament anglais.

Peter FAWCETT : Le tempérament anglais de l'époque, peut-être... Mais il me semble que vous avez approché le groupe de Bloomsbury de l'extérieur. Or, vu de l'extérieur, ils avaient le sentiment d'être un groupe, et ceci un peu plus, je crois, que vous ne l'avez dit.

Jean GUIGUET : C'est possible. Vous êtes certainement mieux informé que moi. Mais ce qui m'a frappé dans tout ce que j'ai pu lire sur Bloomsbury – et j'ai lu des thèses qui avaient l'avantage d'avoir réuni une multitude de lettres, de déclarations, etc, – c'est que j'ai rarement trouvé le sentiment de cohésion, de participation de plusieurs individus à un idéal commun. C'est cela qui me manque dans Bloomsbury, c'est le sentiment d'unité. J'ai l'impression au contraire qu'il y a une sorte de renforcement de l'individualisme partout. Et là encore je regrette l'absence de Quentin Bell, car il est un témoin authentique.

Peter FAWCETT : Ce qui leur manquait d'une certaine façon, c'était un leader.

Jean GUIGUET : Oui, peut-être, un leader qui ait le sens pratique, le sens des choses à faire.

Peter FAWCETT : Je crois que Roger Fry n'en manquait pas totalement.

Jean GUIGUET : Oui, mais peut-être n'était-il pas tout à fait de la même génération et ses intérêts pour les arts plastiques ont pu le détourner de cette entreprise.

Jean PACE : J'ai l'impression qu'ils n'avaient pas envie de se manifester. Pour être membre du groupe, il fallait être une individualité très marquée et ils avaient un sens des valeurs commun, hérité en somme de Moore, de Cambridge.

Peter FAWCETT : Mais ce n'était pas très loin quand même de la réalité de *la Nouvelle Revue Française*, qui était aussi un groupe d'individus.

Clara MALRAUX : Les collaborateurs de la *N.R.F.* se montraient ce qu'ils étaient en train de faire; ils passaient leur temps à se lire les uns les autres. Je voudrais savoir si, dans le groupe de Bloomsbury, on se montrait ce qu'on écrivait.

Jean GUIGUET : Je ne sais pas pour les autres mais je crois savoir que Virginia Woolf, au contraire, était tellement secrète qu'elle n'a jamais rien montré avant que ce fût publié.

Clara MALRAUX : D'un autre côté, j'ai l'impression qu'il existait un « Bloomsbury » quelque part dans la tête des gens car je me souviens justement, en 1936, avoir passé dans un square, et on m'a dit : « Voilà la maison de Lytton Strachey, voilà le square qui représentait Bloomsbury »... Je ne sais plus du tout qui m'a dit cela, je ne sais plus quel était le square, je ne sais rien du tout sinon qu'on m'a parlé de quelque chose qui existait.

Anne HEURGON-DESJARDINS : Bloomsbury était dix ans plus tôt, au moment où Lytton Strachey, Dorothy Bussy (sœur de Lytton Strachey) venaient à Pontigny. C'était vers 1923, 1924 ou 1925.

Hermione LEE : Vous avez dit, Jean Guiguet, que dans son livre, *The Bloomsbury Group*, J. K. Johnstone traite séparément de Forster, de Strachey et de Virginia Woolf, mais il dit qu'il y a une unité qui est une attitude morale et qui dérive de Moore.

Jean GUIGUET : Ce que vous dites est tres juste et c'est la thèse de Johnstone que la philosophie de Moore est à la base de tout. En revanche, je me demande si tout ceci a plus de valeur, de cohésion et d'intérêt que si vous disiez qu'un groupe de jeunes gens des années 25 était bergsonien ou que des jeunes gens de 45 étaient des existentialistes. J'ai constaté que ma génération a été existentialiste sans le savoir et nous continuons probablement à l'être, même si nous n'avons jamais lu une ligne de Sartre, parce que tout le monde est comme cela à notre époque.

Anne HEURGON-DESJARDINS : Que prévoit-on comme publications de correspondances ?

Jean GUIGUET : Je ne sais pas, mais il est certain que lorsque nous aurons le *Journal* intégral de Virginia Woolf, nous aurons beaucoup plus de renseignements sur ses rapports avec les autres. D'autre part, j'ai rencontré quelqu'un l'année dernière qui m'a dit que toutes les lettres des Nicolson (Harold et Vita Sackville-West) devaient être publiées prochainement et qu'on était en train d'y travailler.

Jean PACE : On est en train de travailler sur les lettres de Roger Fry.

Jean GUIGUET : Oui, certainement, dans les dix ans qui viennent, nous aurons une multitude de révélations extraordinaires et il nous faudra prendre rendez-vous en 1984 pour en discuter.

sens et que je ne sois pas accusé d'emblée de partialité ou d'extravagance. Le malheur des écrivains est qu'ils utilisent un medium impur, parce que c'est un medium dont nous nous servons tous les jours à des fins qui n'ont rien de littéraire, qu'il s'agisse d'aller acheter un kilo de pommes de terre ou une paire de chaussettes. Nous employons le langage aussi pour demander notre chemin, pour exprimer nos dévotions au Seigneur, pour entrer en contact avec nos semblables ; c'est quelque chose qui traîne dans tous les recoins de nos habitations, de nos mémoires. Ce langage, qui est impur, fait de la littérature un art mal défini et qui peut servir à tout, alors que peut-être il ne devrait servir à rien. Je ne suis pas un historien des idées, ni un historien de la littérature, je suis un profane et un dilettante et je ne sais pas quelle a été l'attitude des gens au XIXème et même au début du XXème, mais il me semble que le problème de l'engagement est devenu aigu juste après la première guerre mondiale et qu'il l'est resté. Sartre a défendu l'engagement et ce qu'il a écrit est peut-être de la littérature, mais c'est aussi de la politique. Un de ses ouvrages qui m'a diverti est *la Putain respectueuse.* Cette pièce, en même temps pamphlet et réquisitoire, qui a pu soulever d'une noble indignation le public parisien, n'avait rigoureusement aucun sens pour les Américains, car malgré toutes ses bonnes intentions Sartre traitait de problèmes auxquels il n'entendait rien, dont il n'avait pas la moindre expérience directe : sa connaissance du problème noir était purement théorique et il s'est « engagé » – dans tous les sens du terme – dans un tunnel. Je cite cet exemple pour mettre en évidence la difficulté qu'il y a à examiner de près ce problème de l'engagement en littérature. Quand une œuvre devient-elle engagée ? Quand se dégage-t-elle ? Faut-il considérer toute œuvre comme engagée ? Faut-il au contraire considérer toute œuvre comme dégagée ? Je crois qu'il 'y a pas de réponse. Vous allez me dire : mais alors, vous allez vous trouver sans sujet sur votre table et il vaudrait mieux que nous allions nous promener sur la pelouse. Je voudrais cependant adopter une position peut-être extrême en cette affaire et, pour tâcher de nous y retrouver dans ce paradoxe difficile, j'évoquerai une citation que j'emprunte à David Daiches qui, s'il était ici, aurait probablement complété de manière très utile un certain nombre de choses que j'ai l'intention de dire. David Daiches, dans son livre *Virginia Woolf,* un très bon ouvrage paru dans la Collection New Directions en 1942, trouve que *To the Lighthouse* est supérieur à *Mrs. Dalloway* parce que la romancière a mis ses personnages en vacances ; et il poursuit : « Le romancier ne peut garder ses personnages en vacances pendant toute sa carrière ». Voilà qui explique un peu mon titre : « Les vacances et l'engagement ».

Ce que je me propose de faire, c'est une très brève, très superficielle revue des romans de Virginia Woolf, pour tâcher de voir quelle espèce de vacances ont les personnages, comment ils sont en vacances, et peut-être, après, essayer de trouver pourquoi ils sont en vacances et quelles sont les conséquences justement de cette mise en vacances. Apparemment ils sont dégagés et peut-être arriverai-je à prouver que c'est justement parce qu'ils sont dégagés, parce qu'ils sont en vacances, qu'ils sont engagés dans cette opération personnelle, profonde, intime, qu'est la vie. C'est le dégagement du tohu-bohu, du bruit et de la fureur, qui va leur permettre de trouver le silence intérieur, la vérité et, pour reprendre une expression de Wirginia Woolf, *the core of darkness,* le cœur, le noyau de ténèbres, qui se trouve dans *To the Lighthouse*. C'est Mrs Ramsay, si vous vous le rappelez, qui atteint là la vérité essentielle. Et, en quelque sorte, les vacances sont l'itinéraire, par le dégagement, qui mène à l'engagement fondamental. Voici ce que j'espère évoquer.

Cette mise en vacances – et je crois là que David Daiches a eu une intuition merveilleuse – est fondamentale si vous pensez à *The Voyage Out*. Souvent, on a tendance à négliger la première œuvre d'un écrivain en prétextant que c'est une œuvre de jeunesse : les premières amours ou les premiers essais. Je ne crois pas du tout que ce soit le cas pour Virginia Woolf ; elle a écrit *The Voyage Out* entre 1907 et 1914, c'est-à-dire alors qu'elle avait dépassé la trentaine : elle avait déjà une certaine expérience de la vie, des hommes, de la littérature ; elle écrivait depuis longtemps, en fait depuis 1904, pour le *Times Literary Supplement*. Elle n'était donc pas une novice et j'ai l'impression que dans ce livre on la trouve à peu près tout entière avec ses thèmes, ses paysages intérieurs, ses personnages. En effet, dès le début du livre, Mrs Ambrose et son mari vont s'embarquer sur un vaisseau plus ou moins mythique pour une sorte de départ des Argonautes, vers un monde inconnu, vers Santa Marina, qui serait un port de l'Amazonie. Or, en réalité, Santa Marina n'est pas sur un continent, c'est une île, qui est déjà de l'autre côté des apparences, c'est là que la croisière va aboutir ; elle aboutira à un degré ultime, encore au-delà, quand Rachel mourra et sortira, non seulement de l'île, mais de l'univers. Dans ce *Voyage Out*, je crois que Virginia Woolf a, dès le début, bien marqué que tous les personnages vont sortir de la réalité quotidienne, vont entrer en vacances. Et en vacances pourquoi ? Je crois que nous entrons tous en vacances – comme le terme l'exprime bien – quand nous larguons les amarres, quand nous nous dégageons de ce qui fait que chaque jour est intégré à une continuité, est enraciné dans le présent, dans l'autour, dans l'hier et aussi est en projection vers le demain. Tout cela, Virginia Woolf l'écarte. Dès que les personnages sont à bord, ils entrent dans un autre univers, ils sont en vacances.

Je ne rappellerai pas tout ce qui se passe dans *la Traversée des apparences*. Comme dans la majorité des romans de Virginia Woolf, il ne se passe rien. Les personnages se contentent d'explorer leur univers intérieur ; Rachel, qui est une jeune fille d'une vingtaine d'années, se pose les questions ultimes. Je traduis presque mot à mot et de mémoire : « Qu'est-ce que la vie ? Qu'est-ce que la mort ? Qu'est-ce que l'amour ? ». A ces questions, elle répondra d'une façon très fragmentaire, intermittente, passagère, au point que, lorsque le roman se termine et que Rachel a traversé toutes les apparences, lorsqu'elle a traversé même ce monde semi-transparent (je signale au passage que ce qualificatif n'est pas mien, mais qu'il est bien woolfien ; la semi-transparence est un mot qu'on trouve presque dans tous les romans et à tous les moments cruciaux de la vie des personnages), elle sort de l'univers sans avoir répondu aux questions. Mais, si Rachel n'a pas répondu aux questions, si les personnages qui l'entourent, St. John Hirst qui, entre parenthèses, est une transcription littéraire de Lytton Strachey, Hewett, l'homme qu'elle devait épouser (j'avoue ne pas savoir quel personnage il représente dans la réalité) n'ont pas non plus la réponse positive, ils ont quand même l'intuition d'un certain nombre de choses qui sont à rejeter.

Je voudrais évoquer ici un passage qui paraît très important en ce qui concerne la vision de Virginia Wolf : c'est cette analyse de la façon dont St. John Hirst considère les personnages ; il les enferme dans un cercle de craie, il leur donne un contour, il les délimite. Et justement c'est ce que Rachel, Hewett, Mrs Ambrose critiquent chez ce personnage exagéremment intellectuel. Ils lui reprochent de croire – et nous revenons à notre discussion d'hier – à la personnalité, d'imaginer que les gens existent. Alors qu'il semblerait que pendant ces vacances, pendant ce séjour à Santa Marina, Rachel et Hewett aient découvert que nous n'existons que pour les besoins de l'état civil ; dans nos rapports quotidiens, il nous faut bien savoir que « Mr. Smith » sera « Mr. Smith » demain, comme il l'était hier, et que « Mr. John » sera aussi « Mr. John » demain et après demain. Mais après tout, ce ne sont là que des illusions commodes. Telle est, je crois, l'une des découvertes qu'ont faites Rachel et, derrière elle, Virginia Woolf, au cours de ce voyage hors de la réalité quotidienne.

Il me semble que dans les romans successifs au cours desquels Virginia Woolf va tenter de revenir constamment sur sa vision du monde, sa vision des êtres, elle va approfondir ce qu'elle a évoqué dans *The Voyage Out, la Traversée des apparences, Croisière*, les trois titres du même roman qui se complètent sans jamais se superposer rigoureusement.

Night and Day, qui vient immédiatement après, est un roman qui, vous le savez, est assez peu estimé. On le trouve trop réaliste, trop « Jane Austen » par rapport à la vraie Virginia Woolf. En ce qui concerne le problème qui nous intéresse, *Night and Day* n'est pas en apparence très significatif, bien qu'à y regarder de près, si vous considérez Mrs Hilbery, Katharine Hilbery, sa fille, qui est l'un des personnages centraux du livre, si l'on cherche à savoir qui sont ces gens dans la vie quotidienne, on découvre qu'ils sont pratiquement indéfinissables : ils n'ont pas de profession, ils n'ont pas d'obligations ; ils se croisent, s'éloignent ; il y a tout un jeu de coïncidences, de rencontres et de séparations qu'il serait peut-être intéressant d'étudier du point de vue de ce que j'appellerai « l'espace littéraire », cet espace qui n'est ni celui des géographes, ni celui des touristes, mais qui n'existe justement que dans la littérature. Virginia Woolf a magnifiquement utilisé l'espace littéraire qu'on ne peut transcrire sur aucune carte. La topographie de *Night and*

Day est impossible à transcrire : c'est une topographie irréelle, littéraire. Je n'en dirai pas plus sur un roman qui est en même temps néanmoins le plus réaliste, si l'on excepte *The Years* qui pose lui aussi des problèmes extrêmement complexes en ce qui concerne la nature et la qualité de l'écriture. Malgré tout, quand on lit *Night and Day,* on croit que cela se rapporte à la vie de tous les jours · si l'on y regarde de plus près, on voit que ce n'est pas cela non plus. Là aussi les personnages sont, sans en avoir l'air, presque en vacances perpétuellement ; disons, pour l'instant, qu'ils le sont par leur condition sociale.

Mais si l'on prend *Jacob's Room,* on se retrouve presque dans l'atmosphère ou dans un univers de même nature que celui de *la Traversée des apparences.* D'abord Jacob est un tout petit garçon qui s'amuse sur la plage, qui cherche des crabes, qui regarde dans les flaques d'eau, et puis qui est appelé par son frère : « Jacob ! Jacob ! » – ce cri retentit d'une façon tragique, comme un écho à ce pathétique du début. On cherche Jacob à travers tout le livre, et on ne le trouve pas pour la simple raison que Jacob, c'est le contenu de la chambre. Vous voyez bien les murs de la chambre, mais dans ces murs vous n'allez jamais trouver Jacob. Et cela justement parce qu'il est en vacances. Au début, il était un tout petit garçon et, quand on est petit, on a la chance d'être toujours en vacances. Jacob se retrouve dans sa chambre, le soir. Il y a un orage terrible, il y a le crâne de mouton qu'il a laissé dans son seau de plage, il y a la pluie qui tombe, qui tombe, qui tombe... Ce n'est pas la vie de tous les jours, cela, celle dans laquelle vous vous engagez, ce sont des sensations, ce sont ces choses qui vont directement au monde viscéral, qui attaquent votre cerveau reptilien et qui, là, creusent des fossés qui vont donner on ne sait quoi dans le reste de votre existence.

Jacob est à l'université, mais vous ne le voyez pas

avec ses professeurs ; si vous le voyez, c'est à un déjeuner ou à un thé et il arrive d'ailleurs très en retard, ce qui prouve qu'il doit avoir une sorte de prédilection pour les vacances perpétuelles. Ensuite vous le voyez dans sa chambre en train de discuter avec Bonamy, en train de se battre avec lui au sujet de choses sérieuses, d'idées politiques, ou d'idées sociales. Serait-ce une forme d'engagement ? Je crois que c'est un engagement de surface : ces pugilats sont des pugilats pour rire, ils ne mènent pas à une action positive, ils sont cette agitation superficielle, la mousse au-dessus du champagne.

Un des chapitres de *Jacob's Room* qui me paraît le mieux réussi est celui où Jacob part avec Bonamy sur un yacht. On voit les collines, les falaises et cette croisièree miniature nous amène à un paysage, à un cadre, qui est très prémonitoire de *To the Lighthouse.* C'est la maison de vacances des Durrant. Une idylle s'ébauche entre Jacob et Clara. Ce sont des vacances : on cueille les raisins, on bavarde, il y a la pelouse, peut-être joue-t-on au croquet. Et le temps passe...

Il y a d'autres scènes : il y a Guy Fawkes Day. C'est un jour de vacances, il y a des feux de joie, des feux d'artifice, des interludes avec les demoiselles de petite vertu. C'est encore les vacances, tout cela. Et puis il y a le voyage en Grèce, une promenade au Parthénon, une aventure très elliptique, évoquée très discrètement, avec cette dame qui s'ennuie, qui a un mari ennuyeux, et puis... Alors là peut-être nous engagerions-nous... Mais est-ce Jacob qui s'engage ou est-ce le monde qui met la main sur lui ? Nous savons que Jacob est mort, tué sur le front des Flandres, et tout ce qui nous reste de lui, ce sont ses souliers : « Qu'est-ce qu'il faut faire de ça ? » demande Bonamy quand il déménage la chambre de son ami après l'annonce de sa mort. Jacob a été pris par l'existence à la fin des vacances. On peut dire que c'était la rentrée et ce qu'il y a d'extraodinaire c'est que, chez Virginia Woolf, cette rentrée coïncide avec la sortie. Jacob mort, il n'y a plus de Jacob, les vacances sont finies. La vie devrait commencer, mais il se trouve que la vie est terminée. Ce qui me paraît extraordinairement symptomatique, c'est que dès maintenant Virginia Woolf refuse l'engagement, elle refuse cette entrée dans l'existence : la rentrée c'est la sortie.

Après *Jacob's Room,* nous avons *Mrs. Dalloway.* Le monde de Mrs. Dalloway est extrêmement sérieux. Mr. Dalloway, fonctionnaire important, a un rendez-vous avec Mrs Bruton, une descendante des Talbot. Ils vont parler de choses sérieuses, de la situation politique, écrire une lettre pour le *Times.* Mrs Dalloway, elle, dès le début, quand elle ouvre ses fenêtres un matin, ne pense pas au Londres de maintenant, mais à Bourton, la maison de campagne de sa jeunesse et où elle était en vacances, où on recevait les amis, où elle passait des heures merveilleuses avec Sally Seton, où Peter Walsh la courtisait. Et puis il est arrivé quelque chose : elle a épousé Richard Dalloway et cela a été un peu la fin des vacances, on n'en parle plus, ce n'est plus intéressant. Mais Mrs Dalloway a quand même de la suite dans les idées et elle va donner une « party ». Donc une coupure dans le quotidien, quelque chose qu'on isole. Dans une soirée où les gens sont bien élevés, on ne va pas parler boutique, on ne va pas ramener les soucis du matin ou de l'après-midi, on va parler de choses agréables : ceci est fondamental.

Pensez à cette personne de Peter Walsh à travers Londres : il suit une femme qui lui a plu, c'est un petit moment de vacances. Evidemment, Peter Walsh a toujours été en vacances ; il est parti pour les Indes, il n'a vraiment jamais rien fait d'utile, il n'a pas fait de véritable carrière, il n'a gagné ni argent, ni notoriété, c'est un grand enfant ; il est resté adolescent, il n'a pas mûri. Et pensez aussi à cette chose extraordinaire : au moment où le Docteur Bradshaw parle de la mort de Septimus, au milieu de la réception, c'est comme s'il était entré un éléphant dans un magasin de porcelaine, tout s'écroule. Cet imbécile de Bradshaw a crevé cette bulle qu'avait su créer Mrs Dalloway, cette soirée qui était hors-texte, sans contexte ; il a fait entrer le quotidien dans le monde extraordinaire, dans le monde vacanciel et vacant, vide, dans la bulle que Virginia Woolf veut constamment créer avec cette chose, la vie, préservée à l'intérieur. Ici encore, nous trouvons cet univers vacanciel qui paraissait exclu, mais qui pourtant est bien présent.

Nous arrivons à *To the Lighthouse.* C'est bien la vacance absolue. Dans *To the Lighthouse,* le premier chapitre, « La fenêtre », est significatif par son titre même. Les vacances, n'est-ce pas justement de regarder le reste du monde séparé de vous par votre fenêtre ? Il faut penser à l'importance des vitres et des fenêtres pour Virginia Woolf. Vous remarquerez qu'elles sont toujours sans rideaux, pour mieux voir à travers, mais – c'est justement là le paradoxe – on est séparé bien qu'on voie à travers ; c'est à la fois y être et ne pas y être, le dehors est en dedans et le dedans est en dehors. Le premier chapitre, donc, des vacances, quelque part dans une île. Troisième chapitre (je saute celui du milieu car j'y reviendrai tout à l'heure), c'est aussi d'autres vacances, dix ans plus tard. Le petit James qui voulait aller au phare n'y est pas allé parce qu'il a fait mauvais. C'est comme une sorte de transposition de la vie quotidienne, les contingences extérieures qui vous contraignent, qui vous empêchant de vivre votre rêve et qui se sont introduites en quelque sorte en contrebande dans cette atmosphère de vacances du premier volet. Puis, dix ans passent et James, devenu adolescent, va au phare et c'est quand même encore les vacances. Et Lily Briscoe finit sa peinture, regardant de loin, dans la baie, les petits bateaux qui eux aussi sont encore en train de traverser un bras de mer pour aller vers un coin de monde lointain, un monde imaginaire, qui se révèle gris, rocailleux, dur ; ce phare auquel on aborde est peut-être quelque peu décevant ; cela pour bien des raisons ; surtout, je crois, parce qu'au lieu d'être imaginé, il s'impose en tant que réalité. Mais aussi parce que James, au lieu d'avoir quatre ans, cinq ans, en a seize, dix-sept. Il approche de la rentrée, lui aussi. Donc vacances au début et vacances à la fin. Ce qui me paraît encore plus extraordinaire, c'est l'interlude, l'entracte.

Nous ne sommes encore qu'à *To the Lighthouse,* qu'à *la Promenade au phare,* mais nous avons déjà là un entracte, nous avons déjà là un *Between the Acts,* prémonitoire du testament littéraire de Virginia Woolf, son dernier livre. Cet entracte me paraît aussi quelque chose de très symptomatique en ce qui concerne mon propos d'aujourd'hui. Que se passe-t-il pendant tout ce temps ? Une série de choses comme en marge, ces choses extrêmement sérieuses, capitales, les morts qui surviennent, les attaques des éléments et du temps contre les choses et les gens. C'est à ce moment-là qu'il semblerait, pour un esprit matérialiste, pour une vision quotidienne, normale, des choses, qu'il y ait la matière du roman. Mais non ! Tout ceci est dit entre parenthèses. C'est une façon pour Virginia Woolf de le rejeter, de le repousser. Toutes ces choses qui pourraient être le moment où il faut s'engager, où il faut faire quelque chose, Virginia Woolf les a mises là, dans vingt-cinq pages – sur plus de trois cents – entre les deux chapitres extrêmes. Les vacances restent en dehors et sont préservées de l'aventure ou de la catastrophe, de la réalité qui arrive là dans ce chapitre central : « le Passage du temps ».

Et puis, nous avons *Orlando.* C'est encore mieux qu'une vacance. C'est une farandole, une kermesse élisabéthaine, avec les danses, les traîneaux et, par la suite, le voyage en Turquie, l'Egypte, les changements de siècle et de sexe. C'est la liberté des vacances. Tous les grands travestis...

Les Vagues serait peut-être un peu plus délicat à aborder, mais enfin, dans *les Vagues,* il y a deux soirées. Vous allez me dire que ce ne sont pas les vacances puisque les héros sont au « college », à l'université. Mais on ne les voit quand même pas beaucoup travailler. Louis est évidemment banquier comme son père, mais j'avoue que je n'ai jamais pu savoir exactement ce que faisait Bernard. Je crois qu'il écrit, qu'il fait du journalisme, ou qu'il travaille quelque part dans un ministère, enfin on ne sait pas très bien et ceci nous fait songer à Henry James. Dans *les Ambassadeurs,* les Newsome ont fait fortune en fabriquant des objets qu'on pourrait qualifier d'innommables puisqu'ils ne sont jamais nommés dans le livre. Nous sommes ici exactement dans la même situation : cet aspect de l'existence qui consiste à vivre le quotidien et à remplir ou à vider son compte en banque est un aspect dont on ne parle pas et dont il ne vaut pas la peine de parler.

Je laisse de côté *The Years,* que je n'aime pas beaucoup et qui, de l'avis général, est assez mauvais, bien qu'on puisse là aussi trouver beaucoup de vacances, et j'arriverai directement à *Between the Acts.* L'atmosphère de vacances y est évidente puisque c'est la kermesse, mais la kermesse réduite à un jour ou deux. On va jouer la pièce pour le village sur la pelouse du château et dans cette pièce, il y a justement un jeu remarquable du point de vue littéraire, romanesque et théâtrale, d'imbrications inextricables entre le réel et l'imaginaire. On voit en même temps la fille du buraliste et la reine Elisabeth et on n'arrive pas à les décrocher l'une de l'autre. Je dirai que dans cette pièce et dans ce moment particulier, on se trouve justement à un moment de convergence et en même temps à un moment de séparation du réel et de l'imaginaire, de l'atmosphère des vacances et de l'esprit de sérieux, celui de la vie active et quotidienne. Je ne vais pas entrer dans les détails et tenter de vous donner la signification de *Between the Acts,* parce que c'est entre les actes, et parce que je ne suis pas sûr d'avoir moi-même, à ce jour, trouvé une réponse. A vrai dire, on ne sait pas ce que cela signifie et l'irréductible ambiguité ou polyvalence du livre a bien été soulignée par Virginia Woolf elle-même dans la scène finale des miroirs agités devant les spectateurs. Si vous relisez les dernière paroles, les dernières phrases de *Between the Acts,* vous arrivez à un silence et cela se termine par « Ils parlèrent... ». Qu'auront-ils dit ? On ne le sait pas. Qu'est-ce que ce silence, que sont ces paroles ?

J'en arrive au point qui a été évoqué ici-même : c'est que les vacances contiennent tout. Je crois que c'est bien le sentiment de Virginia Woolf. Il lui fallait arriver à ce silence absolu pour entendre ses voix. Car elle entendait bien des voix, mais ce qu'elles lui disaient, on ne le sait pas... Personnellement, je n'ai pas vu de documents qui en fissent état de manière suffisamment précise. Ce que j'en sais est tout simplement ce qu'on a pu lire dans le *Journal* qui a été publié, mais nous ne savons pas exactement à quoi tout cela correspond. Je crois cependant que, si l'on reprenait tous les romans que j'ai évoqués, on pourrait noter dans chacun d'entre eux une page ou deux, peut-être davantage, où le personnage central, réprésentatif, le porte-parole de l'écrivain (bien que ce ne soit pas un mot que j'aime puisque tous les personnages sont les porte-parole de l'écrivain ; un écrivain se disperse, se recrée à travers tous ses personnages, même dans la même œuvre), il y a un moment, dis-je, où ce personnage descend au fond de lui-même, se dégage de tout pour arriver à la vérité fondamentale, pour arriver à trouver la réponse. Ce sera ma conclusion : le dégagement, la vacance de Virginia Woolf est l'itinéraire nécessaire de retour sur elle-même qui l'amène à la vérité fondamentale, ce qui lui permettra ensuite, lorsqu'elle émergera de ce moment privilégié, d'agir consciemment, en connaissance de cause, et avec la possibilité de l'engagement total de soi.

Le second volet de cette causerie consisterait à dire tous les engagements de Virginia Woolf, tous les moments où Virginia Woolf est sortie de vacances et où elle s'est manifestée avec des opinions littéraires, des opinions sociales, des opinions politiques, où elle a été romancière d'avant-garde, où elle a été féministe, où elle a été pacifiste, etc. Et là je vous renvoie à *A Room of one's Own*, à *Three Guineas*, qui sont de véritables pamphlets. Si vous pensez à la date à laquelle *les Trois Guinées* ont été publiées, ce texte me paraît un manifestation d'engagement comme on en voit peu, un moment où Virginia Woolf a dit ce qu'elle pensait sur la société, sur la façon dont le monde était mené, sur les catastrophes vers lesquelles nous allions. Bref, Virginia est loin d'être un écrivain dans sa tour d'ivoire comme on l'a cru pendant très longtemps et je crois que c'était un être extrêmement passionné, ouvert sur le monde, mais qui a choisi un itinéraire détourné pour se manifester ; un être tout à fait engagé, animé cependant de la conviction qu'avant de se manifester, avant de prendre position, il faut savoir, il faut découvrir sa vérité, et que cette vérité ne devient efficace qu'après s'être intériorisée par le voyage qui mène au centre de soi – au cœur de ténèbres. Et je terminerai par une citation de *The Waves* (p. 176). Il s'agit de Bernard, en train de tirer les conclusions de son existence, de son expérience, de cette fusion avec le groupe des six ; il tente de dire ce qui est au-delà et en-dehors de notre situation, c'est-à-dire justement ce qui dégagé, ce qui est après, ce qui est dépouillé, coupé de tous les fils qui tiennent à l'ici et au maintenant. Il a accédé à ce « qui est au-delà et en dehors de notre situation circonstancielle, à ce qui est symbolique et ainsi est peut-être permanent ». Je crois que là réside la justification de l'analyse que j'ai tenté de faire : ces vacances sont ce qui permet de se retirer de la « situation » et d'atteindre, au delà, un refuge privilégié dans lequel l'univers se réfracte et, ce faisant, dépouille sa contingence. L'image quotidienne, chaotique, se stabilise, s'organise et se fond avec l'essence – peut-être faudrait-il dire : s'identifie à l'essence. Dans cette traversée des apparences, faussement vacancielle, l'être se découvre et se fait ; il s'insère, il *s'engage* dans cette aventure intégrale qu'est la vie et que, dans son *Journal*, Virginia Woolf a définie comme « la traversée d'une étroite chaussée suspendue entre deux abîmes ».

DISCUSSION

Clara MALRAUX : A propos de *Mrs. Dalloway*, je vous proposerais une autre version, qui d'ailleurs ne contredit pas la vôtre. L'aventure de Mrs Dalloway m'a rappelé, en effet, celle du jeune Bouddha à qui son père avait interdit de sortir pour qu'il ne découvrît pas l'essentiel. Ayant un jour désobéi, il se trouve confronté à la pauvreté, à la vieillesse et à la mort. Mrs Dalloway sort elle aussi, et le jour même où elle doit revoir un homme auquel elle aurait pu se lier autrefois. Pendant qu'elle prépare cette rencontre importante pour elle, elle se heurte à la vieillesse, à la pauvreté et à la mort sous la forme de Septimus Smith qui se suicide. Que l'auteur l'ait ou non voulu, il m'a semblé que le roman avait presque un caractère initiatique.

Jean GUIGUET : Votre interprétation est très intéressante, et je la crois justifiable, ne serait-ce que d'après les derniers mots du livre : « She was there ». L'itinéraire de Mrs Dalloway rencontrant toutes les catastrophes de la création, particulièrement la mendiante qui psalmodie à la bouche du métro, et toute l'aventure des Smith, constitue effectivement un itinéraire initiatique.

Clara MALRAUX : Mais alors, sa confrontation avec

Septimus Smith ne la fait-elle pas sortir des vacances ? Elle est la seule à qui cette aventure arrive dans l'ensemble de l'œuvre de Virginia Woolf.

Jean GUIGUET : Peut-être. Mais les vacances auxquelles je pense, c'est le monde du passé, le monde merveilleux et préservé de l'enfance, très loin de la réalité quotidienne que Mrs Dalloway rencontre dans les rues de Londres. Au cœur de Bond street, lorsqu'elle est en train d'acheter les fleurs, c'est pour elle comme une sorte de coup de gong : la pièce commence et tout va se précipiter.

Jean PACE : On pourrait reprocher à Virginia Woolf de mettre en scène des gens qui travaillent, avec lesquels elle ne peut pas s'identifier. Elle ne peut se rendre compte de ce qu'est vraiment la vie d'un banquier.

Jean GUIGUET : Je crois que vous avez raison. C'est dans *The Years* que la chose me paraît la plus patente. J'ai essayé d'être indulgent pour cette œuvre et de la comprendre, mais je crois que là Virginia Woolf a fait fausse route. Et peut-être s'en est-elle rendu compte, sinon d'une façon claire, tout au moins instinctivement. Elle essaye de montrer des gens qui travaillent, des hommes de loi, un médecin, et ces gens-là sont absolument plats, sans profondeur. Je ne sais si T. S. Eliot lui a jamais parlé de son expérience d'employé de banque; en tout cas elle n'en a pas retenu assez pour donner vie au personnage de Louis. Suzanne est peut-être le personnage auquel elle a essayé de donner le plus d'épaisseur, mais le portrait de cette femme de gentleman-farmer reste très abstrait. Pourtant Virginia Woolf a travaillé pour The Women's Guild, elle a fait des conférences, elle a été certainement en contact avec des gens qui étaient obligés de travailler huit heures par jour, et je crois qu'elle était assez sensible pour se rendre compte de ce que cela signifiait. Il n'en transparaît guère dans ce qu'elle a écrit.

Clara MALRAUX : Cependant, à la fin de *A Room of One's Own*, on sent un arrière-plan de vie quotidienne.

Jean PACE : Il s'agit alors de la femme écrivain !

Jean GUIGUET : Autant elle sait ce qu'est le combat de l'écrivain avec la feuille blanche, autant lui est inconnu le combat quotidien du monde du travail avec le concret. Rappelez-vous cette dernière mention du *Journal* où elle dit : « I think it is true that one gains a certain hold on sausage and haddock... ». Mais comment ? « ... By writing them down ». Si vous avez mangé de l'aiglefin et des saucisses préparés à la sauce de l'écriture, vous me direz si vous avez été nourri.

Clara MALRAUX : Elle savait pourtant l'importance de la nourriture, même pour le travail; elle souhaitait que, dans l'université féminine, dont elle critique le régime alimentaire, on bût du bon vin.

Jean GUIGUET : Dans les notes du *Journal* prises au cours du voyage en France, elle dit : « I was bobbing up and down on my two glasses of vin du pays » : il lui avait monté la tête. Il est bien certain que Virginia Woolf avait un sens aigu du concret, mais dans ce qu'elle écrit elle procède à une sorte de dépouillement, je dirai qu'elle met le concret en vacances. A la Hogarth Press elle a été en contact avec le travail. Elle raconte qu'à son arrivée elle a trouvé sous la porte un tas d'enveloppes, toutes des commandes, qu'il fallait faire des paquets, les ficeler, les envelopper. Rien de tout cela n'est passé dans son œuvre. Il y a là un problème qui reste ouvert. Je proposerai cependant une explication : c'est qu'il n'y a pas de commune mesure entre le monde de la réalité et le monde de l'art. J'avoue que le réalisme pour moi est un non-sens. Qu'il s'agisse de romanciers, de peintres ou de sculpteurs, les artistes utilisent des éléments de la réalité pour construire leur univers à eux. Dans l'univers de Virginia Woolf, certains aspects de la réalité sont complètement éliminés. C'était sans doute moins gênant pour les gens de sa génération que pour ceux de la nôtre. Une littérature dépouillée comme la sienne nous déconcerte un peu. Mais enfin, quand nous assistons à une tragédie de Racine, nous voyons aussi un univers dépouillé de tout l'adventice en quelque sorte abstrait, du moins au sens où l'entendait Virginia Woolf lorsqu'elle écrit dans son Journal : « Je suis arrivée à une conscience de ce que j'appelle le *réel*, une chose que je vois devant moi, quelque chose d'abstrait, mais qui réside dans les collines ou le ciel ».

Clara MALRAUX : Si Racine est ainsi loin du concret quotidien, ce n'est certes pas le cas de Shakespeare. Le paradoxe est qu'à cet égard Virginia Woolf se rattache plutôt à notre situation française...

Eddy TREVES : Il y avait en elle une veine qui aurait pu être celle du récit, mais qu'elle n'a pas exploitée. Je pense à *Orlando*.

Jean GUIGUET : Oui, *Orlando* est très élisabéthain... Il me semble qu'en l'écrivant Virginia Woolf a pris des vacances. Tout se passe comme si elle s'était sentie lasse de chercher une technique, de composer des livres « mystiques et sans regard » comme *The Waves*. Elle s'est mise à écrire alors à bride abattue, laissant la fantaisie se répandre partout, et c'est pourquoi en un sens *Orlando* est peut-être son livre le plus autobiographique. Il nous la montre telle qu'elle devait être les soirs où elle était en forme, racontant avec beaucoup de verve des histoires qui partaient, comme dans *Orlando*, dans tous les sens.

Raïssa TARR : En lisant *Jacob's Room*, j'avoue n'avoir pas eu la même impression que vous. Le héros vient plusieurs fois dans cette chambre, il n'est pas du tout oisif, il passe son temps à lire. Et Virginia Woolf nous le montre dans un milieu très vivant, avec sa mère, sa sœur. Il n'est pas du tout en vacances.

Maurice de GANDILLAC : Le mot « vacances » est un peu équivoque. Pour les professeurs, les vacances sont souvent une période très laborieuse. Mais même pour les autres, c'est souvent l'été qu'on lit le plus.

Jean GUIGUET : Oui, c'est le moment de l'approfondissement, mais aussi celui de l'interruption. Et c'est bien ainsi que j'ai entendu le mot. Je songe au temps où l'on prend conscience de tout ce qui s'est passé, où l'on en dresse le bilan. En ce sens, les vacances sont un peu comme les rencontres des amis dans *The Waves*. Ils arrivent, on attend un peu; quand tout le monde est là, on peut faire le point ensemble.

Françoise PELLAN : Si les vacances sont bien une période où l'on se retire assez du quotidien pour prendre une vue claire de son passé, peut-on dire que les personnages de *Mrs Dalloway* soient véritablement en vacances ? Ce sont des êtres jeunes (je pense surtout à Clarissa), qui n'ont pas encore été vraiment immergés dans le quotidien. Dans leur attitude, je vois surtout une fuite hors du réel. Clarissa épouse Richard pour être protégée. Les images de couvent reviennent plusieurs fois. Elle vit en quelque sorte coupée du monde. Elle ne découvre la réalité que grâce à cet imbécile de Bradshaw, qui commet la gaffe de parler de mort : c'est là que tout se déclenche, qu'elle comprend qu'elle n'a pas encore vécu. Peut on dire qu'elle ait été jusque là en vacances ?

Jean GUIGUET : La fuite devant la réalité me semble une formule très juste pour caractériser l'attitude de Clarissa Dalloway. Mais ne peut-on identifier vacances et évasion ? Au moment où Virginia Woolf écrivait, il y avait encore des êtres protégés et cela nous paraît surprenant, nous qui vivons sur une planète menacée et en bouleversement perpétuel.

Solange BOURDEAU : Il y a d'autres protections que l'argent et le loisir. Même aujourd'hui, nombreux sont ceux qui se bouchent les yeux et les oreilles et qui finalement meurent sans avoir vécu.

Maurice de GANDILLAC : D'une certaine façon on est beaucoup plus protégé aujourd'hui qu'autrefois. Notre monde est plutôt celui des assurances que celui des risques. Au temps de la « belle époque », une petite minorité était protégée, la grande masse vivait dans l'angoisse de l'accident, de la misère, de la maladie. Et bien peu de gens prenaient des vacances...

Clara MALRAUX : Il est curieux que nous n'ayons pas évoqué le nom de Proust.

Jean GUIGUET : Je souscris à votre étonnement; l'univers de Virginia Woolf est extrêmement proche de l'univers proustien. Ce qui l'intéresse, c'est ce monde intérieur, cette prise de conscience, cette tentative de découverte de l'essence des choses. De là vient l'importance que j'attache à *la Traversée des apparences*; dès ce moment, Virginia Woolf pose les trois questions auxquelles, en fait, tous ses livres ne seront que la tentative sans cesse reprise d'une réponse impossible.

Eddy TREVES : Je crois qu'elle se demande surtout quel est le regard que chacun de nous pose sur la vie.

Jean GUIGUET : Oui, et c'est là qu'elle rencontre le concret. Nos sens sont les portes par lesquelles nous entrons dans le non-moi, les fenêtres aussi, puisque vous avez dit « regard ». « Je vois », « je sens », « j'entends », c'est la litanie de *The Waves* depuis la première page jusqu'à la dernière.

Maurice de GANDILLAC : Le mot « loisir » ne serait il pas meilleur que le mot « vacances », lequel n'évoque qu'un temps-limite entre deux périodes beaucoup plus longues d'astreinte, sinon de servitude ?

Jean GUIGUET : A la réflexion, je préfère pourtant « vacances », parce que le mot renvoie à « vacant », donc à « vide ». Je crois que Virginia Woolf a tenté de travailler sous vide, pour éliminer tout ce qui gêne la vision.

Maurice de GANDILLAC : Je dirais dans votre sens que l'un des mots d'ordre de la mystique est *Vacate et videte.*

II. BLOOMSBURY ET LA FRANCE

par Peter FAWCETT

Virginia Woolf et la France, encore un vaste thème qui vaudrait la peine d'être étudié, écrit dans un numéro récent le rédacteur en chef de la revue internationale *Adam*. Mais ce que je voudrais évoquer aujourd'hui, ce sont les relations de tout le groupe de Bloomsbury avec la France, et en particulier avec sa littérature et sa vie littéraire. En effet, la France a été le pays du monde qui a eu le plus d'importance pour les membres du groupe après l'Angleterre, et même pour quelques-uns avant leur propre patrie. Mais pour que ma communication n'ait pas trop l'air d'un catalogue, j'ai choisi de centrer mes remarques autour de trois membres du groupe, Lytton Strachey, Virginia Woolf et Roger Fry, qui me semblent représenter les attitudes les plus intéressantes du point de vue de mon sujet. Ce faisant, j'ai essayé d'embrasser trois aspects majeurs de mon thème : d'abord les connaissances du groupe en langue et littérature françaises; ensuite ses relations directes avec la vie et les écrivains français; enfin les différences entre le groupe de Bloomsbury et le groupe français qui leur a ressemblé peut-être le plus, celui de la première période de la *Nouvelle Revue Française* – ressemblance dont on a déjà parlé et que je ne veux pas justifier ici en détail, mais il m'a toujours semblé que si un membre de

Bloomsbury était né en France, il aurait naturellement viré du côté de la *N.R.F.* et vice-versa. Un des jeunes de Bloomsbury des années vingt n'a-t-il pas déclaré que « Gide était Bloomsbury » ? Et quand Gide qui était l'éminence grise de la *N.R.F.*, est mort en 1951, un des survivants de Bloomsbury, Morgan Forster, a pleuré parce qu'un des rares soutiens de sa propre civilisation venait de disparaître.

Lytton Strachey était sans aucun doute le membre du groupe qui s'y connaissait le mieux en littérature française classique. Il avait passé son enfance entouré de ses innombrables frères et sœurs, qui avaient presque tous hérité de leur mère un grand amour pour la France. Lady Strachey, qui n'est morte qu'en 1928, à l'âge de 88 ans, était aussi experte en littérature anglaise, et elle avait même consacré, dit-on, une étude particulière aux Encyclopédistes. Sa fille aînée, Elinor, rapportant le souvenir d'un voyage en France avec sa mère, lorsqu'elle même avait quinze ans, écrit : « Comme le train s'approchait de Paris et que nous entrions dans la banlieue morne et grise, Maman se leva de son siège, se redressa de toute sa hauteur dans le compartiment et salua la grande ville ». Lady Strachey conduisait sa fille à Fontainebleau, à l'école des Ruches que dirigeait sa vieille amie Marie, fille de l'écrivain Emile Souvestre, qu'elle avait rencontrée à Florence en 1870. Les deux filles aînées de Lady Strachey passèrent aux Ruches; deux autres fréquentèrent Allenswood, dans la banlieue de Londres, où Mademoiselle Souvestre s'était installée à la suite d'un dissentiment avec son associée. De cette « Française brillante et irréligieuse », comme l'a décrite une de ses élèves, on trouve le portrait sous le nom de Mlle Julie, dans le roman *Olivia* de Dorothy Bussy, née Strachey.

Lytton, bien entendu, n'a pas été l'élève de Mlle Souvestre, mais l'échange des visites était constant entre Allenswood et la maison des Strachey, et c est de Marie

Souvestre qu'il a dû acquérir notamment sa grande admiration pour Racine dont elle récitait les vers avec vigueur et passion – habitude qu'avait prise aussi Lady Strachey elle-même. Il a même osé situer Racine, à certains égards, au-dessus de Shakespeare, ce qui pour un Anglais est un crime de lèse-majesté.

Mais revenons à son enfance. Il commença à apprendre le français à l'âge de sept ans; c'est alors qu'il annonce à sa mère que le mot « lion » est le même en français qu'en anglais, mais se prononce autrement. Ses progrès furent facilités par la présence d'une gouvernante française chez les Strachey – comme, à l'époque, dans toutes les familles de la grande bourgeoisie anglaise. Lytton avait dix-huit ans lorsqu'il vint pour la première fois en France, en 1898. Il fut l'hôte pendant deux mois d'une famille française à Loches; c'est de là qu'il écrit à un ami :

> La France n'est pas si mal qu'elle aurait pu être. Moi-même, je n'ai pas été aussi complètement muet que je m'y étais attendu; le pays est charmant et les gens sont très aimables et courtois.

De toute sa vie il n'a parlé le français que de fort mauvaise grâce, ce qu'il faut attribuer à l'extrême malaise de quelqu'un qui, même dans sa langue maternelle, s'exprimait malaisément. A l'époque où sa sœur Dorothy allait épouser le peintre français Simon Bussy, lequel savait à peine un mot d'anglais, on nous rapporte que Lytton se refusait à dire un seul mot de français. Même plus tard, quand il rendait visite au couple dans leur maison de Roquebrune, il n'ouvrait guère la bouche pour parler français.

Pourtant, il n'a cessé d'éprouver un vif amour pour la France. En septembre 1908, il écrit à sa mère : « Je crois que la France est dans l'ensemble plus civilisée que l'Angleterre, et il me semble que cela vient peut-être de ce que leurs superstitions et leurs préjugés ont été extirpés une fois pour toutes par les philosophes ». C'était le temps où il lisait la correspondance entre Voltaire et d'Alembert. En 1914, il déclare à son frère, James : « A tout prendre, peu m'importe que l'Angleterre soit victorieuse ou non (sauf sur le plan personnel), mais je m'opposerais à ce que la France soit écrasée. Ne serait-ce pas une bonne idée de se faire Français ? » Il est vrai que son idée de la France se fondait surtout sur ses lectures des mémorialistes et des Encyclopédistes du XVIII ème siècle et qu'elle n'avait que peu de rapport avec les réalités contemporaines, mais son biographe, Michael Holroyd, n'a pas tort d'écrire, à propos de la phrase que nous venons de citer : « Cette préférence de Lytton pour la France constitue un aveu de son genre d'humanisme très évolué. La France, pour lui, était le pays le plus civilisé du monde et donc celui qui était le moins susceptible de commencer ou de provoquer une guerre ». Oui, dans son esprit – et dans celui de la plupart des membres de Bloomsbury – la France était bien « le pays le plus civilisé du monde ». Bien qu'il fût rebelle à l'usage de la langue française et tout en sachant qu'il ne pourrait jamais vivre autre part qu'en Angleterre, il traversa souvent la Manche. Son dernier voyage date de quelques mois avant sa mort. Il en a laissé le récit, plein de nostalgie, sous le titre *Quinze jours en France.*

Il put mettre en valeur sa connaissance de la littérature française. Quand on l'invita, en 1910, à écrire « un manuel des Lettres françaises destiné à la haute société », intitulé *Jalons de la littérature française*, ce livre fut jugé par le poète T. S. Eliot comme « le meilleur précis d'histoire de la littérature française ». C'est en effet un ouvrage remarquable, sinon par sa nouveauté et la pénétration de ses jugements, du moins par son ton vif et par son esprit. Les chapitres les plus réussis sont ceux qui traitent des XVIIème et XVIIIème siècles, mais lorsqu'il traite du XIXème siècle, on le sent moins sympathique, et ce qu'il écrit, par exemple, de Balzac est assez décevant. L'omission la plus marquante est sans doute celle d'Emile Zola, dont le génie ne pouvait plaire à quelqu'un pour qui les qualités les plus caractéristiques de la langue française étaient « la simplicité, l'unité, la clarté et la réserve ». Lytton, à vrai dire, n'aimait pas du tout la littérature française moderne; il y trouvait, disait-il, « tous les vices des Lettres allemandes et très peu des vertus traditionnelles françaises ». On ne doit pas s'étonner dès lors qu'il ait refusé d'écrire une préface pour présenter la traduction anglaise d'*A la recherche du temps perdu.*

Ainsi pour Lytton, la France représentait un monde de lumière et de raison, loin des ténèbres et des superstitions de l'ère victorienne, un monde dont le génie avait atteint sa plus haute expression dans la littérature classique. Il préférait ne pas regarder de trop près si dans sa réalité contemporaine la France méritait encore de se situer au plus haut rang de la civilisation. Il resta jusqu'au bout l'homme qui, dans son premier texte destiné à la publication, une étude sur Vauvenargues et La Bruyère intitulée *Deux Français*, ne craignait pas d'écrire : « Le plus grand malheur qui puisse advenir à un homme d'esprit, c'est d'être né hors de France ».

La compétence de Lytton Strachey pour tout ce qui touchait à la France lui a valu le respect des autres membres du groupe. Il est passionnant de suivre, dans sa correspondance avec Virginia Woolf, la manière dont elle se laisse conduire par lui dans ses lectures françaises. Dès qu'il lui dit son goût pour Saint-Simon, elle se met à lire les *Mémoires* dans une édition à bon marché. Lorsqu'elle veut se procurer *la Princesse de Clèves*, dont l'exemplaire a été égaré à la bibliothèque de Londres, c'est à lui qu'elle s'adresse. Sept ans après la mort de

Lytton, elle écrira encore dans son *Journal*, à propos des *Provinciales* de Pascal : « Ces distinctions théologiques sont trop subtiles pour moi. Quand même, je vois ce que Lytton voulait dire – mon cher vieux serpent. Quel rêve que la vie, parbleu – que lui soit mort et moi en train de le lire ! ». Elle se référait toujours à ses *Jalons de la littérature française* et je ne doute pas qu'elle ait considéré ce livre, jusqu'à la fin de sa vie, comme son meilleur guide dans la littérature française classique. Qu'elle éprouvât le besoin d'un tel guide tient peut-être aux lacunes que signale Quentin Bell dans une éducation entièrement assumée par les parents de Virginia; sa mère était responsable du latin, de l'histoire et du français, son père s'était chargé des mathématiques, mais ni l'un ni l'autre n'étaient doués pour l'enseignement. Il y avait bien entendu, des gouvernantes, suisses ou françaises, mais à en croire Bell, elles apprenaient elle-mêmes l'anglais au contact des enfants plutôt qu'elles ne les instruisaient dans leur propre langue. En 1934, passée la cinquantaine, Virginia devra prendre des leçons de français deux heures par semaine avec Janie, la fille unique de Dorothy et de Simon Bussy. Mais si elle fut toujours mal à l'aise dans la langue parlée, il n'est guère concevable que la fille de Sir Leslie Stephen, un des hommes les plus remarquables de sa génération, ait éprouvé des difficultés à lire le français, en un temps où, comme le dit Bell, il était admis chez nous que tout homme cultivé fût aussi instruit en littérature française qu'en littérature anglaise et capable de reconnaître sur le champ une citation de Johnson ou de La Rochefoucauld. Si Virginia Woolf avait parfois besoin de guides, c'était surtout pour l'orienter dans le choix de ses lectures.

Le rôle qu'à cet égard jouait Lytton Strachey pour les classiques, c'est son beau-frère Clive Bell qui l'a joué pour les modernes. Depuis ses études à Cambridge, Clive était devenu francophile, au point qu'il voulut s'installer en France, peu après son mariage avec Vanessa, et donner une éducation française à ses enfants, Julian et Quentin. C'est ici peut-être le moment de parler des rapports entre Virginia Woolf et Proust, sur lesquels on a beaucoup écrit en essayant de discerner une influence littéraire. Clive Bell nous apprend que, vers 1910, Roger Fry et lui, les deux critiques d'art du groupe, commencèrent à se passionner pour ce qui s'écrivait en France. Ils furent, en tout cas, vers la fin de la première guerre mondiale, les premiers du groupe de Bloomsbury à découvrir Proust. C'est Clive Bell qui finalement écrira le petit livre sur Proust qu'éditeront Léonard et Virginia Woolf à la Hogarth Press en 1928; mais dès juin 1918, voici en quels termes Roger Fry recommandait *Du côté de chez Swann* à un ami de Cambridge : « C'est quelque chose de tout à fait charmant et de complètement nouveau, mais ne vous laissez pas rebuter par le début. Moi-même j'ai dû m'y attaquer deux ou trois fois avant de m'y faire – ensuite on est pris, mais c'est d'une lecture très difficile parce que le texte est si fourré d'images et de comparaisons qu'on dirait du caramel ». Dans sa grande biographie sur Proust, George Painter rapporte que le groupe de Bloomsbury fut parmi les premiers admirateurs d'*A la recherche du temps perdu* en Angleterre, et Frances Partridge, qui travailla quelque temps dans la librairie de Londres où les membres du groupe achetaient leurs livres, m'a dit avec quelle impatience ils attendaient l'arrivée de chaque nouveau volume, afin de le dévorer et d'en discuter inlassablement. Lytton Strachey fut peut-être le seul d'entre eux qui ne parvint jamais à aimer Proust; deux ans avant sa mort il s'y efforçait encore, se demandant pourquoi il faut que la grande littérature soit si ennuyeuse et s'interrogeant sur cette subtile qualité d'illisibilité que possédait Proust dans une si forte mesure. Tout le reste du groupe était enthousiaste, même Virginia Woolf qui ne semble pourtant être venue à Proust que relativement tard, peut-être rebutée d'abord par sa prétendue difficulté. C'est seulement en octobre 1922 qu'elle écrit à Roger Fry : « Ma grande aventure est en vérité Proust. Or, qu'est-ce qui reste à écrire après cela ? ». La suite de cette lettre vaut la peine d'être citée parce qu'elle est, je crois, assez peu connue :

Je n'en suis qu'au premier volume, et il y a, je suppose, des choses à redire, mais je suis dans l'émerveillement comme si un miracle se produisait devant mes yeux. Comment, enfin, a-t-on pu solidifier ce qui s'est toujours échappé – en faire cette belle substance parfaitement durable ? On n'a qu'à poser le livre et s'extasier. Le plaisir que j'y prends devient physique – comme du soleil et du vin et des raisins et une sérénité parfaite et une vitalité intense, le tout confondu.

Mais il ne faudrait pas conclure à une influence directe de Proust sur Virginia Woolf. Lorsqu'elle a commencé à le lire, elle avait déjà terminé le premier roman de sa maturité, *la Chambre de Jacob*. Sans doute, comme l'a noté Jean Guiguet, son roman suivant, *Mrs Dalloway*, peut passer pour le plus proustien de ses ouvrages, mais ce n'est, je crois, que dans *les Années* où l'on peut dire que l'exemple de Proust a, en quelque sorte, déformé son talent, lorqu'elle essaie de saisir la suite des générations d'une manière qui est particulière à Proust. Peintre et écrivain, Jacques-Emile Blanche a déclaré que, malgré sa culture étonnante, qui lui permettait de connaître et d'apprécier la littérature et la civilisation françaises, elle n'en a aucunement subi les influences. Virginia, prétend-il, « est anglaise avant tout et seulement anglaise ». Toute réflexion faite, il faut donner raison à Jacques-Emile Blanche. Virginia n'a-t-elle pas écrit elle-même dans le *Journal d'un écrivain* que, si la plupart des écrivains français fournissent une pincée de matière essentielle, ils sont loin d'être aussi compréhensifs et larges d'esprit que ses chers auteurs anglais ? Elle a accusé une fois Lytton Strachey d'être plus influencé par les écrivains français que par les auteurs anglais, ce dont il a convenu, disant : « Oui. J'ai subi leur empreinte. C'est eux qui m'ont formé ». On ne serait jamais tenté d'en dire autant de Virginia Woolf. Bien qu'elle eût beaucoup d'affection pour la France, qu'elle aimât y séjourner durant ses vacances, et qu'elle trouvât en Proust l'écrivain contemporain qu'elle admirait le plus, elle est restée anglaise jusqu'au bout des ongles.

Avec Roger Fry, nous touchons à la deuxième partie de notre propos, celle qui traite des relations directes du groupe de Bloomsbury avec ses contemporains français et la vie française. En effet, on a tendance à oublier aujourd'hui, en Angleterre tout au moins que les membres du groupe ont été parmi les premiers dans ce pays à adopter un style de vie français, en adoptant la cuisine française, en buvant à tous les repas du vin français (souvent très ordinaire) – qu'ils importaient eux-mêmes en gros et mettaient en bouteilles chez eux – en se servant pour leur café du matin de casseroles françaises et de bols français. Virginia Woolf raconte par exemple que Roger Fry, qui de tous ces admirateurs de la France était sans doute le plus fervent, a fort étonné les bons bourgeois de Royat en arrivant à l'hôtel dans une vieille guimbarde poussiéreuse, après avoir négocié avec succès trente virages en épingle à cheveux dans le Massif Central, et tenant serré contre sa poitrine un grand ustensile de cuisine provençal – le diable – qu'il avait l'intention d'acclimater chez lui dans le Suffolk. Mais Roger Fry, il faut le préciser, était sensiblement plus âgé que la plupart de ses amis et n'entra vraiment dans le milieu que vers 1910, lorsque sa femme fut définitivement confinée dans un asile d'aliénés. Et c'est aussi à ce moment-là qu'il organisa aux Grafton Galleries de Londres la première exposition post-impressionniste, qui devait présenter la peinture moderne française au public britannique, très conservateur en la matière. Je ne parlerai pas aujourd hui de l'intérêt de Roger Fry pour la peinture française mais plutôt de ses relations littéraires, et de sa passion pour la littérature à laquelle il s'adonna avec le même enthousiasme et le même manque de jugement qu'on trouve un peu partout dans sa vie.

Si l'on excepte les Bell – Clive, ses deux fils et sa femme Vanessa, qui avait appris à parler le français avec un fort accent anglais – et quelques rares autres, Roger Fry était le seul membre du groupe qui maniât le français. Son premier grand ami français fut, en 1911, le poète Charles Vildrac, qu'il avait rencontré dans la galerie que ce dernier tenait sur la rive gauche avec sa femme Rose. Dès le début, ils eurent de longues conversations sur des questions d'esthétique et de littérature. C'est sur l'invitation de Fry qu'en 1912 Vildrac et Jacques Copeau se rendirent à Londres pour représenter les Lettres françaises à la deuxième exposition post-impressionniste. A la suite de ce voyage, un autre membre du groupe de Bloomsbury, Duncan Grant, composa les maquettes de *la Nuit des rois* pour la mise en scène de Copeau au Vieux-Colombier. Vers le même temps, peut-être à cause de ses déceptions privées et professionnelles en Angleterre, Roger Fry vouait à la France un amour de plus en plus exclusif. Il lui semblait que les Français considéraient l'artiste et son art avec le sérieux qui leur convient, tandis que le public anglais n'avait de goût que pour le romanesque et le sentimental. Fry a toujours été flatté que ses propres tableaux fussent mieux appréciés en France qu'en Angleterre. A Virginia Woolf, qui trouve sa maison de campagne tout encombrée de « livres – de livres français surtout, déchirés et sans couvertures », il demande : « Pourquoi n'y a-t-il aucun romancier en Angleterre qui sache prendre son art au sérieux ? Pourquoi restent-ils tous absorbés par les problèmes enfantins de la représentation photographique ? ». Ce qu'il aimait dans la littérature française, c'était le goût des écrivains pour la forme de leurs œuvres, analogue à son propre goût de peinture pour la forme. Cet attachement passionné pour la France trouva toute sa plénitude après la première guerre mondiale.

Cet après-guerre des années 20 à 25 est la période où Bloomsbury a été le plus français. En 1918 André Gide, arrivé en Angleterre muni d'une lettre d'introduction auprès des Strachey, a rencontré à Londres Lady Ottoline Morrell, châtelaine de ce qu'on considère comme le siège social de Bloomsbury, le Manoir de Garsington en Oxfordshire, accompagnée du jeune Aldous Huxley qui lui trouve la mine d'un « babouin avec la voix, les manières, et l'éducation de Bloomsbury en français ». Il revient en 1920 et fait un court séjour à Garsington, à l'époque où le peintre Mark Gertler commence à trouver insupportable son atmosphère presque exclusivement française. Après la visite de Gide, il écrit à son ami : « Naturellement on a beaucoup parlé français et j'ai de plus en plus horreur du français. Pourquoi disent-ils que tout est horrible, magnifique, exquis, formidable ! J'ai l'impression d'être au théatre. Nous nous sommes promenés autour du lac en déclamant du Verlaine sur ce ton mélodramatique. Quelquefois j'ai horreur de la poésie presque autant que j'ai horreur du français ». Bien que, s'étant querellé avec Lady Ottoline, il ne fréquentât plus Garsington, Roger Fry était l'inspirateur de ce mouvement francophile contre lequel Mark Gertler élève sa voix solitaire.

Fry avait fait la connaissance de Gide à Cambridge

en 1918, ils étaient devenus amis et, l'ayant reçu plusieurs fois chez lui, il écrivait à une amie que Gide était pour lui « un grand événement ». « Je n'aurais jamais cru, ajoutait-il, qu'il y eût quelqu'un au monde qui correspondait si exactement du point de vue intellectuel à ce que je désirais ». Dans la maison de Fry, Gide a joué du « virginal » – sorte d'épinette du XVIème siècle. Fry lui a montré les extraordinaires traductions littérales de Mallarmé sur lesquelles il avait commencé à peiner et qui devaient l'occuper pendant quinze ans encore, mais il a été surpris de constater que Gide, ce « grand mallarméen », n'était pas allé aussi loin que « quelques-uns d'entre nous dans le déchiffrement des enchevêtrements mystérieux de la pensée du poète ». A propos de ces traductions, il faut noter qu'aux yeux de Fry les sonnets de Shakespeare, par exemple, ne perdraient rien de leur valeur, bien traduits en français.

Après Vildrac et Gide, le troisième ami littéraire français de Roger Fry, et peut-être le plus important, fut une femme, Marie Mauron, qu'il avait rencontrée en octobre 1919 dans le petit village provençal des Baux où, âgée à peine de vingt et un ans, elle était institutrice pendant que son mari terminait ses études à la Faculté des Sciences de Marseille. C'est grâce à Roger Fry qu'elle devait prendre un peu plus tard la décision de quitter l'enseignement et de se vouer à la littérature, alors que son mari Charles, guetté par la cécité et qui avait dû renoncer à son enseignement de chimie industrielle, devait acquérir une certaine réputation comme théoricien de la psychocritique dont les concepts et la méthode se trouvent définis dans *Des métaphores obsédantes au mythe personnel. Introduction à la psychocritique* (1963, Corti). En 1931, Roger Fry acheta un petit mas proche du domicile des Mauron et c'est là qu'il écrit alors à des amis : « Margery [sa sœur] et moi avons toujours l'impression d'être né ici ». A Helen

Anrep, qui partagea les dernières années de sa vie, il devait avouer : « Même aujourd'hui, cher cœur où c'est toi que je quitte, je ne puis (ni ne veux non plus) réprimer tout à fait le sentiment que j'éprouve lorsque je suis en France, de revenir dans ma patrie ». Ce qu'il aimait surtout en France, disait-il, c'était « la *justesse* de tout par comparaison à l'irrationalité si dénaturée, si sens dessus dessous, si têtue, des Anglais ».

Comme Lytton Strachey, Roger Fry considérait la France comme le centre de toute civilisation. Il a même parlé une fois de la « culture étonnante du paysan français », et une autre fois, parlant de ses fréquentes visites en France : « Chaque fois que j'y viens, je suis frappé par le fait que les Français sont un peuple adulte tandis que presque tout le reste du monde est simplement infantile ». Jusqu'à un certain point, tout Bloomsbury a éprouvé le même sentiment si on peut en juger d'après les séjours nombreux qu'ont faits en France, pendant les années 20, Clive et Vanessa Bell et Duncan Grant. Comme l'écrit Michael Holroyd dans sa biographie de Lytton Strachey : « Convaincus que les choses étaient réglées d'une autre manière en France, les membres du groupe ont essayé d'établir selon le modèle français une société qui serait digne de la minorité éclairée ». Et le même auteur cite ensuite un extrait caractéristique de la biographie de Roger Fry par Virginia Woolf :

Enfin, croyait-il, après l'hypocrisie de l'ère victorienne, [...] le jour était proche où une société réelle serait possible. Ce devait être une société de gens de moyens suffisants, une société basée sur le vieil idéal de Cambridge de la vérité et du franc-parler, mais sensible comme Cambridge ne l'avait jamais été, à l'importance de l'art. C'était possible en France, pourquoi pas en Angleterre ?.

Il se peut que Roger Fry ait senti cette possibilité plus intensément que tout autre, mais tel en effet était l'idéal que visèrent tous les membres de Bloomsbury.

Pourquoi donc, finalement, a-t-on toujours l impression que le groupe de Bloomsbury a eu moins de rayonnement en Angleterre que le groupe le plus directement comparable en France, celui de la première *N. R. F.*, ceux qu'Auguste Anglès a nommés les « éclaireurs » de leur génération ? J'ai déjà parlé des ressemblances qu'a cru remarquer la jeune génération de Bloomsbury entre Gide et leurs aînés. Gide lui-même, bien qu'il n'aimât « ni la flaccidité de sa pensée, ni l'aménité de son style », a reconnu dans *les Eminents Victoriens* de Lytton Strachey une œuvre « d'une grande importance ». Les deux groupes dont nous parlons ont prêché chacun dans son propre pays la même espèce d'humanisme éclairé fondé sur l'art et l'individu, après le sombre philistinisme du siècle précédent. La différence la plus marquante est pourtant que le groupe de Bloomsbury n'a jamais eu de revue pour répandre ses idées; c'est peut-être seulement pendant la période des Ateliers Omega, fondés par Roger Fry en 1913, que son influence s'est étendue – mais dans les seuls arts décoratifs – au-delà des limites géographiques sous-entendues dans le nom de Bloomsbury. Mais ce n'est pas, tant s'en faut, la seule différence. Celui qu'on peut appeler le maître propagandiste de Bloomsbury, Lytton Strachey, appréciait surtout, nous l'avons vu, le XVIIème et le XVIIIème siècle. Il est fort significatif que, dans ses *Jalons de la littérature française*, l'image dont il use volontiers pour définir cette période soit celle d'un salon éclairé par des bougies et où tout n'est que chaleur et lumière. Atmosphère à première vue un peu trop confinée et même artificielle, mais, nous dit Strachey, « attendons un moment » :

Peu à peu nous sentirons le charme de ce salon bien ordonné, nous reconnaîtrons les charmes de la décoration, la distinction et la pénétration des propos. Et, si nous y demeurons davantage, nous y découvrirons mieux encore l'aisance, la bonne éducation et le raffinement des manières, l'essor de la passion et la manifestation subtile de l'âme; nous comprendrons que l'exclusion des terreurs et des mystères a apporté au moins le bénéfice de la concentration, en sorte que nous pouvons désormais suivre sans encombre le mouvement de l'esprit humain – celui d'un homme qui n'est ni transporté au ciel par les ardeurs immenses de la spéculation, ni accaparé par l'introspection solitaire de ses propos émotions, mais d'un homme vraiment civilisé au milieu de ses semblables, dans la clarté de notre monde.

Voilà le vrai idéal de Lytton Strachey; pas question pour lui du pied nu posé simplement sur le sol des *Nourritures terrestres* d'André Gide. Question de tempérament, peut-être. Mais en même temps, je crois, on ne doit pas oublier une circonstance historique, le poids écrasant de la gloire impériale britannique qui, croissant tout au long du XIXème siècle, a pesé non seulement sur les membres du groupe de Bloomsbury eux-mêmes, mais aussi sur le public anglais qui, comme Roger Fry, en avait fait l'expérience lors de ses deux expositions post-impressionnistes, ne voyait aucun motif pour changer d'attitude. Le public français, je suppose, avait moins de raisons de s'enorgueillir de ce qu'on avait fait en son nom pendant le XIXème siècle et de vouloir s'y tenir. C'est peut-être finalement la raison principale pour laquelle Bloomsbury, en tant que groupe, a eu moins d'influence que la *N.R.F.* Pourtant, dans la balance de l'éternité, l'équilibre se rétablit par le fait que parmi ses membres le groupe de Bloomsbury a compté

DISCUSSION

Maurice de GANDILLAC : L'économiste et le philosophe éminents que vous avez évoqués à la fin se rattachent-ils au groupe de Bloomsbury par de véritables affinités doctrinales ? Ou ne s'agit-il pas pluôt de simples amitiés personnelles ?

Peter FAWCETT : Je suis d'accord avec Jean Guiguet pour penser que le groupe de Bloomsbury n'a jamais eu de véritable identité du point de vue doctrinal. Sur Keynes, n'étant pas économiste, je me sens for incompétent.

Jean GUIGUET : C'est également mon cas. En ce qui concerne Russell, je crois que la seule attitude commune qu'il ait eue avec les membres les plus centraux de Bloomsbury serait un certain humanisme libéral, mais c'est un trait trop général pour permettre d'identifier un groupe.

Maurice de GANDILLAC : Vous avez souligné une certaine différence d'attitude entre les héritiers anglais de l'ère impérialiste et les Français qui, dites-vous, auraient été plus critiques vis-à-vis de leur passé et par conséquent plus perméables à la nouveauté. Je me demande si vous ne vous faites pas quelques illusions sur l'audience que pouvaient avoir dans la société française la peinture ou la musique nouvelles au début de ce siècle. Voyez les numéros de *l'Illustration* consacrés aux salons de peinture et qui ne font aucune place aux impressionnistes, moins encore aux fauves et aux cubistes. La résistance au moderne chez nous n'avait peut-être pas tout à fait les mêmes bases d'orgueil national qu'en Angleterre. Il me semble qu'elle était pourtant du même type.

Peter FAWCETT : Je ne suis pas certain qu'elle ait été aussi forte. L'hostilité contre l'exposition post-impressionniste à Londres a été vraiment extraordinaire.

Auguste ANGLES : Je voudrais apporter une précision chronologique. Je crois qu'il y a eu un durcissement du nationalisme français tout terrain à partir du début du XXème siècle. La période du symbolisme avait été très accueillante à l'étranger. Il faut peut-être incriminer la pensée de Maurras, qui voulait absolument mettre en parallèle le domaine politique et le domaine littéraire en identifiant, par exemple, le Romantisme et la Révolution, ce qui est une hérésie théorique. A partir de 1906-1907, la France se durcit contre les influences étrangères dans tous les domaines. Le moment culminant de cette réaction a été la publication du *Romantisme français* de Pierre Lasserre. Le groupe de la *Nouvelle Revue Française*, bien que patriote lui-même, s'est trouvé aux prises avec une résistance nationaliste très vive ; au cours de la guerre et sous l'influence de l'Action Française, plusieurs membres du groupe de la *N.R.F.* sont devenus eux-mêmes archi-nationalistes. Il me semble que ce genre de considérations politiques n'a pas joué à Bloomsbury. Ce serait peut-être là une autre différence.

Peter FAWCETT : Ce que Bloomsbury n'aimait pas dans le XIXème siècle anglais, c'était ses hommes d'action. A Bloomsbury, on évitait même de travailler à répandre des idées parce qu'on avait peur de ressembler à ces hommes trop réalistes qui savaient tout faire dans la vie.

Jean GUIGUET : Ne faudrait-il pas mettre à part Leonard Woolf ? Je le connais mal, mais à Ceylan il semble qu'il ait voulu mener le combat contre une administration sclérosée et incapable ; là, il fait vraiment figure d'homme d'action. D'autre part, je pense que si la Hogarth Press a pu dépasser le stade purement artisanal, cela tient à un certain sens pratique de Leonard, mais tout cela sans doute n'a pas plus de rapport avec les théories artistiques de Fry qu'avec la production littéraire de Virginia.

Peter FAWCETT : Pendant la guerre, tout le reste du groupe était pacifiste, mais Maynard Keynes travaillait à la défense.

Eddy TREVES : Pourriez-vous nous dire dans quelle mesure Virginia Woolf a été influencée par Mallarmé ?

Peter FAWCETT : Dans le *Journal*, je ne vois aucune référence à Mallarmé...

Jean GUIGUET : Il serait amusant de chercher du Mallarmé dans *The Waves* et probablement on en trouverait. Comme vient de le dire Peter Fawcett, dans le *Journal* publié, il n'y a aucune allussion. Il se peut que Mallarmé soit cité dans la partie encore inédite du *Journal*, mais je n'ai pas l'impression que Virginia Woolf ait consacré beaucoup de temps à la poésie.

Peter FAWCETT : Roger Fry a commencé ses

traductions vers 1918. D'après ses lettres, ces traductions devaient être publiées dans la Hogarth Press vers 1923 ; elles ne sont sorties qu'après sa mort en 1936. A cette époque-là, Virginia Woolf a pu les lire.

Eddy TREVES : Elle a dû lire Proust à ce moment-là.

Peter FAWCETT : La traduction de Moncrieff date de 1930, mais tous les survivants du groupe de Bloomsbury m'ont assuré que Virginia Woolf possédait assez bien le français pour pouvoir lire Proust dans le texte.

Clara MALRAUX : Savez-vous s'il y a eu des rapports entre Joyce et le groupe de Bloomsbury ?

Jean GUIGUET : L'an dernier, au 4ème Symposium International sur James Joyce à Dublin, on a consacré tout un atelier à Joyce et Bloomsbury. J'y ai pris position, une fois de plus, contre l'idée d'une relation entre Joyce et Virginia Woolf. Un des poncifs de la critique woolfienne est que *Mrs. Dalloway* serait une sorte de démarquage de *Ulysses*, ce qui est tout à fait absurde. Il y avait entre Virginia et Joyce une telle différence de tempérament qu'elle ne pouvait vraiment s'intéresser à lui. Elle a sans doute aimé *Portrait of the Artist*, qui est un stade très primitif du développement de Joyce. Mais dans ce que j'ai pu lire d'elle sur *Ulysses* – et je crois avoir à peu près tous les documents parce que je suis allé à la Berg Collection à New York pour examiner ce problème avant d'en parler à Dublin – on ne trouve rien de positif. Dans son *Journal*, elle déclare qu'elle trouve extraordinaire qu'il vienne de mourir et qu'elle soit toujours vivante, qu'il ait été un de ses grands contemporains et qu'elle ne l'ait pas connu. Et elle écrit cette phrase caractéristique : « He was around, but

I never met him » (il n'était pas loin, mais je ne l'ai jamais rencontré).

Eddy TREVES : Qu'elle ne l'ait pas rencontré ne signifie pas qu'elle n'ait pas aimé son œuvre.

Jean GUIGUET : En fait, chaque fois qu'elle mentionne Joyce, que ce soit dans les lettres ou dans le *Journal*, il s'agit d'une réaction antagoniste. Certes, dans cette réaction, il entre un élément de jalousie. Virginia Woolf était extraordinairement pointilleuse à l'égard de ses rivaux littéraires ; le succès de Joyce a dû être extrêmement douloureux ; elle lui en a sans doute toujours voulu d'être le premier, d'être celui qui en quelque sorte avait tout inventé du roman moderne alors qu'elle n'arrivait qu'en second. Ce qui n'est d'ailleurs pas tout à fait vrai. J'exagère peut-être en refusant qu'il y ait eu aucun rapport entre eux. Mais c'est parce que je crois qu'on est en présence d'un mythe qu'il faudrait détruire ou dont il faudrait préciser la vraie portée. S'il y a eu au XXème siècle une refonte totale de la technique romanesque à laquelle ont collaboré notamment Joyce, Virginia Woolf, Faulkner, Proust, cette refonte part dans des directions complètement divergentes. Si l'on veut comparer Virginia Woolf avec un autre romancier, il faudrait plutôt la rapprocher de Proust que de Joyce. J'ai écrit que *Mrs. Dalloway* était le moment le plus proustien ; je suis tout prêt aujourd'hui à ajouter, à la suite de Peter Fawcett, que peut-être *The Years* est aussi un moment très proustien de Virginia, en ce sens qu'on y trouve un effort de présentation concrète d'une certaine société, quelque chose qui me semble assez étranger à la vision habituelle de Virginia et détonne un peu dans son œuvre : à ce moment-là, elle a essayé de sortir d'elle-même. Elle n'y est pas arrivée, je crois, mais elle l'a voulu et si quelqu'un l'a influencée en ce sens, encore une fois c'est plutôt Proust que Joyce.

Eddy TREVES : Vous avez raison pour *The Years,* mais dans *The Waves*, elle a dû penser à Joyce, car chacun de ses personnages renouvelle le dernier monologue d'*Ulysses.*

Jean GUIGUET : Je comprends que vous ayez cette impression, mais quand on examine de près le monologue intérieur de Joyce et celui de Virginia Woolf, on constate qu'ils se fondent sur des principes tout différents et sur une tout autre utilisation du langage. L'aboutissement de Joyce dans *Finnegan's Wake* représente, pour Virginia Woolf, la destruction même de la littérature, et pour ma part j'y vois déjà toute la désintégration du monde moderne. Virginia Woolf, fille de Leslie Stephen, héritière d'un rationalisme qui intègre en même temps l'instinct et la passion, est aux antipodes de cette tendance destructrice de Joyce, de cet histrionisme et de cette volonté mystificatrice liée à de multiples frustrations.

Françoise PELLAN : Sans parler d'une influence de Joyce sur Virginia Woolf, on peut évoquer pourtant une certaine communauté d'intentions entre eux. Je pense à ce texte intitulé « Modern Fiction » dans le premier volume de *Common Reader.* Là, on a l'impression d'une sorte de front commun des écrivains modernes, y compris Joyce, en face de Bennett, de Galsworthy, de Wells.

Jean GUIGUET : Il est vrai que Virginia mentionne Joyce parmi ceux qui essayent de tirer le roman de l'ornière du victiorianisme et des Edwardiens. Mais dans ce même texte, elle déclare qu'elle doit bien plus à Sterne et à Thackeray.

Hermione LEE : Permettez de confirmer ce que vous venez de dire. J'estime très caractéristique que l'expression qu'elle emploie dans « Modern Fiction », lorsqu'elle décrit la juxtaposition inorganisée des éléments successifs, soit souvent citée comme si Virginia Woolf parlait de sa propre manière. En fait, elle songe à Joyce ou à Dorothy Richardson.

Jean GUIGUET : En effet, on ne cite en général de cet essai que quelques phrases, séparées de leur contexte. Joyce y reçoit bien quelques louanges, mais plusieurs aspects de son œuvre sont nettement rejetés. Il y eut un temps – disons entre 1914 (date de *The Voyage Out* et de *Portrait of the Artist*) et 1922 (qui nous amène à la publication définitive de *Ulysse* et de *Jacob's room*) – où le nouveau mouvement romanesque était plus ou moins unifié, mais ensuite il s'est vite décomposé.

Jean PAGE : Quelle était l'attitude de la *N.R.F.* envers Joyce ?

Auguste ANGLES : Très réservée de la part de Jacques Rivière, directeur de la revue à partir du 1er juin 1919. Le support de Joyce était alors Valéry Larbaud. Mais permettez-moi de revenir à l'exposé de Peter Fawcett, qui portait sur les relations du groupe de Bloomsbury avec la littérature française et non pas sur le seul cas de Virginia Woolf. Ce qui m'a frappé dans ce que vous avez dit, c'est que finalement le groupe de Bloomsbury s'est surtout intéressé à la littérature française d'autrefois. En dehors de Proust – dont la découverte était méritoire en 1918 – ont-ils connu d'autres écrivains récents ?

Peter FAWCETT : Lytton Strachey a apprécié *la Porte étroite*, parce qu'il y voyait un récit de type classique. Dans son *Aspects of the Novel*, Forster parle beaucoup des *Faux Monnayeurs.* Lorsque Virginia Woolf s'est remise au français, en 1934, elle a lu un peu du *Journal* de Gide, sur le conseil de Janie Bussy. Le seul connaisseur de la littérature française contemporaine qu'on puisse rattacher au groupe de Bloomsbury est Mortimer, mais il est d'une génération plus récente.

Auguste ANGLES : Finalement, entre Bloomsbury et la *N.R.F.* les relations sont restées très sporadiques et superficielles. Avant 1914, il n'y a eu que ce voyage de Jacques Copeau, au retour duquel il propose de publier aux éditions de la *N.R.F.* le livre de Clive Bell, alors en préparation. Après la guerre, je n'ai pas l'impression que la revue se soit beaucoup intéressée à Virginia Woolf.

Clara MALRAUX : De quand date la première traduction de Virginia Woolf en français ?

Jean GUIGUET : La *Bibliographie de Virginia Woolf* par John Kirkpatrick, en 1957, donne *Mrs. Dalloways* comme premier roman de Virginia Woolf traduit en français en 1929. Toutefois, le deuxième chapitre de *la Promenade au phare,* « Le Temps Passe » a paru, traduit par Charles Mauron, dans *Commerce* dès la fin de 1926, avant même que le roman soit publié en Angleterre ; et le chapitre 8 de *la Chambre de Jacob* a été publié en mars 1927 dans *la Revue nouvelle.* Cette dernière, avec *la Revue politique et littéraire, les Nouvelles littéraires, le Figaro* (à lui seul, huit articles critiques entre 1929 et 1932) et *Echanges,* ont presque le monopole des traductions de Virginia Woolf jusqu'en 1932. Toujours d'après Kirkpatrick, la *N.R.F.* ne publiera la traduction d'un article de Virginia Woolf, « Mme de Sévigné », qu'en 1953. Le seul article qu'elle lui ait consacré est de 1932.

Auguste ANGLES : Ce qui est drôle, c'est que des milieux beaucoup plus rétrogrades du point de vue littéraire se sont plus intéressés à Virginia Woolf. Le premier article que j'ai lu sur elle était signé de Louis Gillet, le gendre de René Doumic. Il a paru le 26 janvier 1935 dans *les Nouvelles littéraires* et il était intitulé « Virginia Woolf et le conte philosophique ».

Jean GUIGUET : Il semble que, comme beaucoup d'artistes, Virginia Woolf s'intéressait assez peu à ce que faisaient ses contemporains, ses concurrents immédiats. C'est l'impression que laisse le *Journal*, du moins tel qu'il a été publié. Il est beaucoup plus question de la littérature classique britannique, et même étrangère, que des écrivains contemporains.

Auguste ANGLES : On a cité le nom de Forster. Etait-il lié au groupe de Bloomsbury ?

Jean GUIGUET : Il avait d'étroites relations avec plusieurs de se membres, mais je crois qu'il s'est toujours tenu à l'écart du groupe en tant que tel.

Peter FAWCETT : J'ajoute qu'il s'intéressait plus peut-être à l'Italie – et surtout à l'Inde – qu'à la France.

Jan PAGE : Le cas de T.S. Eliot est tout différent.

Jean GUIGUET : T.S. Eliot a été, en effet, l'un des rares auteurs britanniques de cette époque susceptible d'absorber certains aspects de l'esprit français. Et ceux-là justement que Virginia Woolf était incapable d'absorber. Connaissez-vous l'article de T.S. Eliot, d'ailleur écrit en français et publié dans la *N.R.F.* de mai 1927, sous le titre : « Les Lettres anglaises : Le romain contemporain » ? On y trouve des phrases très critiques à

III. LE LONDRES DE VIRGINIA WOOLF

par David DAICHES

Virginia Woolf écrivit un jour, mais ne la posta pas, une lettre au *New Statesman* dans laquelle elle affirmait avec orgueil être une intellectuelle qui habitait Bloomsbury. « Je ne demande pas mieux que tous les chroniqueurs littéraires, partout et toujours, me traitent d'intellectuelle », concluait-elle, « s'ils veulent ajouter : Bloomsbury, WC1, c'est en effet la bonne adresse postale, et mon numéro de téléphone est dans l'annuaire. Mais, que votre chroniqueur, ou n'importe quel autre chroniqueur ose suggérer que j'habite à South Kensington, et je l'attaque en diffamation. » C'était là sa réponse, bien sûr, à ce qu'elle appelle dans son journal « les détracteurs de Bloomsbury ». Si c'est en tant que groupe d'intellectuels vivant à Bloomsbury que le groupe de Bloomsbury était attaqué, elle renvoyait la balle aux attaquants : en ce qui la concernait, elle était fière d'être une intellectuelle et respectait le peuple (*low-brows)* ; mais elle exécrait les bourgeois (*middlebrows)* « qui n'habitent pas Bloomsbury, qui est un " haut lieu " ni Chelsea, qui est un " bas quartier ", ils habitent peut-être South Kensington, qui n'est ni haut ni bas mais entre les deux ». Voilà une curieuse topographie culturelle de Londres. Kensington se flattait de ses grands musées, de l'Imperial College of Science, de l'une des salles de concert les plus importantes de Londres, d'une bibliothèque publique considérable et d'autres signes de haute culture. Le Kensington Manor originel remonte à l'époque d'Edouard le Confesseur. Guillaume III s'y installa et en fit une brillante cour. C'est à Kensington Palace que moururent Guillaume III et son épouse Marie, ainsi que la reine Anne et George II, et la reine Victoria y vit le jour en 1819. Des écrivains célèbres, d'Addison à Thackeray, y ont vécu. Il est possible qu'en spécifiant le sud de Kensington Virginia Woolf ait voulu distinguer la zone aux alentours de Brompton Road de ces autres quartiers de Kensington qui s'étendent vers le nord et englobent la plupart des monuments culturels et plongent leurs racines dans l'histoire. Mais, d'un autre côté, un de ses griefs à l'égard de South Kensington était d'être à la fois bourgeois et riche. Elle se définit comme « quelqu'un qui restera à Bloomsbury jusqu'à ce que le duc de Bedford, justement soucieux de la respectabilité de ses " Squares ", augmente le loyer au point que Bloomsbury devienne une bonne adresse pour les bourgeois. Alors, je m'en irai ». Pourtant, South Kensington n'était pas la partie la plus riche de Kensington : les riches demeures se trouvaient au nord et à l'ouest. Force est de conclure que Virginia Woolf reprochait à North Kensington et à West Kensington leur opulence et à South Kensington sa vulgarité. En rapprochant « South » et « Kensington » elle situait symboliquement l'opulence et la vulgarité au même endroit. A moins que ce fût simplement parce qu'elle « était née à Kensington, à Hyde Park Gate » et qu'en précisant South Kensington elle se disculpât de toute son impiété.

Virginia Woolf avait un sens aigu de l'atmosphère sociale et culturelle des différents quartiers de Londres, bien qu'elle ne fût pas toujours rigoureuse à cet égard et qu'il lui arrivât d'investir un district de l'atmosphère dont elle avait besoin à ce point précis de son roman plutôt que de celle qui correspondait vraiment à sa population. Sur Bloomsbury elle n'avait pas le moindre doute : tant que le duc de Bedford maintiendrait ses loyers à un taux raisonnablement bas, ce serait un district intellectuel et en conséquence, il lui conviendrait, à elle et à ses amis. Nous savons qu'à la mort de Leslie Stephen, en 1904, ses filles, Virginia et Vanessa, et ses fils, Thoby et Adrian, emmenagèrent au 45 Gordon Square, Bloomsbury. Quand Vanessa épousa Clive Bell en 1907, ils s'installèrent dans la maison de Gordon Square et Virginia et Adrian déménagèrent pour occuper le 29 Fitzroy Square (Thoby était mort en 1906). C'est un des clichés de l'histoire littéraire anglaise du XXe siècle que ces deux maisons furent les centres où le groupe se réunissait et poursuivait ses discussions devenues légendaires pendant qu'on servait du whisky, des brioches et du cacao. A diverses autres périodes, divers autres membres du groupe habitèrent non loin de là. Virginia et Leonard logèrent 38 Brunswick Square de 1912 à 1915 et 52 Tavistock Square de 1924 à 1939 (la maison fut détruite dans un bombardement en octobre 1940). Dès le début de 1924, le 52 Tavistock Square fut aussi le siège de la Hogarth Press, fondée par les Woolf à Hogarth House, à Richmond, en 1917. En août 1939, la presse fut transférée au 37 Mecklenburgh Square qui devint la résidence londonienne des Woolf, bien qu'à cette époque ils aient passé la plus grande partie de l'année dans leur maison de Rodmell dans le Sussex. La maison de Mecklenburgh Square fut sérieusement endommagée lors d'une attaque aérienne en septembre 1940.

Si le groupe de Bloomsbury était en grande partie une affaire de relations personnelles plutôt que d'objectifs communs et précis en matière de littérature et d'art, le Londres spécialement associé au groupe fut aussi le produit de relations personnelles que commémorent les noms d'un certain nombre de ses squares et de ses rues.

En 1756, le deuxième duc de Grafton faisait construire « la nouvelle route de Paddington à Islington » qui fut longtemps appelé simplement « New Road » (maintenant Marylebone et Euston Roads) et destinée à faciliter l'acheminement du bétail de la campagne jusqu'au marché de Smithfield. (On peut la voir clairement inscrite « New Road » sur l'*Atlas de Londres* de Collins, imprimé en 1854, l'ancêtre des plans-guides de Londres et récemment réédité par Leicester University Press.) Le grand-père du duc de Grafton était Henry Fitzroy, bâtard de Charles II, et le père du duc épousa la fille de Lord Arlington, l'un des membres du fameux comité des affaires étrangères de Charles II connu sous le nom de Cabal ; Lord Arlington légua à sa fille un domaine à Euston dans le Suffolk et le vieux manoir de Tottenham Court dont les terres s'étendaient de ce qui est actuellement Tottenham Court Road jusqu'à Highgate. Une grande partie de Tottenham Court fut démolie quand on construisit New Road, mais ce qui en restait passa par la suite au petit fils du second duc, le premier baron de Southampton, qui aménagea la zone entourant Fitzroy Square dans les dernières années du XVIIIe siècle. Le second baron de Southampton continua à construire vers le nord et après 1840, il mordait sur les champs de Chalk Farm, au nord de Regent's Park. Toute cette urbanisation des domaines de Fitzroy se poursuivit parallèlement à l'urbanisation des domaines adjacents de Bedford dont l'origine remontait à un don territorial de Henri VIII à John Russell devenu plus tard comte de Bedford. Le quatrième comte de Bedford créa Covent Gardens dans la première moitié du XVIIe siècle. Son petit-fils, William Russel épousa la fille du quatrième comte de Southampton, lequel avait hérité de son père le manoir de Bloomsbury entouré de vastes terres s'étendant d'ouest en est entre ce qui est maintenant Tottenham Court Road et Southampton Row, et du nord au sud, entre High Holborn et Euston Road. Ce sont les Russell qui firent de Bloomsbury un quartier résidentiel en construisant sur leurs terres depuis la fin du XVIIe siècle jusqu'au milieu du XIXe siècle. Bloomsbury Square fut construit dès 1661, Bedford Square le fut par le quatrième duc de Bedford en 1776. Celui-ci démolit ensuite ce qui restait du vieux manoir Russell dans Bedford House et continua à bâtir vers le nord ; Russel Square, Tavistock Square, Woburn Square, Gordon Square, furent tous construits à la fin du XVIIIe siècle et vers 1830 toutes les propriétés des Bedford se trouvaient couvertes de maisons.

Juste au sud de cette zone, plus particulièrement entre St. Giles Highstreet et Cambridge Circus, sur des terrains qui avaient originellement appartenu à la léproserie médiévale de St. Giles, se développèrent au XVIIIe siècle quelques un des pires taudis de Londres, mais ils furent en grande partie assainis et l'on ouvrit la voie de Bloomsbury à Holborn (que Virginia Woolf décrit dans son essai « Street Haunting ») par le vaste projet d'urbanisme du XIXe siècle qui créa successivement New Oxford Street (1845-47) Shaftsbury Avenue (1885-86), Charing Cross Road (dans les années 1880), et Kingsway (1901-1905). Reliant Holborn au Strand – un chemin parcouru aussi dans « Street Haunting » – et permettant du même coup l'assainissement de quelques taudis lamentables, Kingsway fut officiellement ouvert par Edouard VII en 1905, symbolisant ainsi la stabilisation du Londres édouardien cette année même où, à quelques rues de là, vers le nord-ouest, Thoby Stephen lançait ces discussions du jeudi soir qui allaient fournir le fondement et le cadre social du groupe de Bloomsbury. Toutefois, malgré la disparition des taudis au sud, malgré la présence dans le voisinage d'institutions académiques comme University College (dans Gower Street) et Bedford College (dans Bedford Square), et du British

Museum dans Great Russell Street – ou peut-être, dans une certaine mesure, à cause de ces institutions – Bloomsbury n'était pas considéré comme un quartier chic – et même certains mettaient en doute son caractère respectable. Quentin Bell nous dit que lorsque les jeunes Stephen envisagèrent de s'installer à Gordon Square, « leurs amis et parents [furent] surpris et quelque peu choqués : Kensington était une bonne adresse, mais pas Bloomsbury », et quand Virginia et Adrian quittèrent Gordon Square pour Fitzroy Square, Virginia écrivit à une amie : « Béatrice est venue nous voir, rendue muette à force de sous-entendus et m'a conjurée de ne pas prendre cette maison à cause du voisinage. » Virginia demanda conseil à la police, qui apparemment la rassura.

Bloomsbury même était essentiellement georgien. Bien que des changements considérables aient eu lieu à Londres entre la dernière décennie de la vie de Dickens et la première décennie du XXe siècle, on n'en pouvait pas voir grand chose de l'endroit où vivaient Virginia Stephen et ses frères et sœurs. Ils n'étaient pas affectés de ce que la Cité eût dans les années 1860 subi un exode résidentiel qui avait réduit sa population de 113 000 en 1861 à 76 000 en 1871. Comme l'a dit Sir John Sumerson dans son rapport sur la construction à Londres dans les années 1860, « les vieilles résidences de la période des Stuart et de la Reine Anne, depuis longtemps abandonnées par leur propriétaires et transmises aux grands commis, cédaient le pas à des édifices strictement commerciaux, à des bureaux ou des entrepôts. La race des maîtres s'en étant allée à Bayswater ou Kensington, peut-être à Hornsey ou Clapham, maintenant, la race des commis s'en allait à Camberwell ou Pecklam, Stoke Newington ou Highbury ».

En 1910 Roger Fry organisa la première exposition post-impressionniste aux Grafton Galleries. Fry était un membre du Bloomsbury Group ; le groupe participa très activement à l'exposition qui souleva des hurlements de protestation chez les amateurs de peinture conservateurs. Cet incident est au centre même de l'histoire de Bloomsbury, car c'est dans les années antérieures à la période de production de Virginia Woolf que Bloomsbury sema les germes qui devaient réellement porter leurs fruits. Il est intéressant de voir comment cette année même, un éminent spécialiste de géographie sociale décrivait la topographie sociale de Londres. Je cite l'article sur Londres de O.J.R. Howarth, dans la onzième édition de l'*Encyclopedia Britannica* :

Dans la partie de Londres qui est au nord de la Tamise, la distinction dominante s'établit entre l'ouest et l'est. Depuis les limites occidentales de la ville proprement dites, une zone couvrant la plus grande partie de la cité de Westminster et pénétrant jusqu'à l'intérieur de Chelsea, Kensington, Paddington et Marylebone, est exclusivement associée à la vie de la haute société londonienne. A l'intérieur des limites de Westminster on trouve les palais royaux, les ministères et beaucoup des plus beaux édifices publics ; et dans la plus grande zone spécifiée plus haut sont inclus la majorité des résidences des classes les plus riches, les plus beaux parcs et les lieux de divertissement les plus chics. Mayfair au nord de Picadilly et Belgravia au sud de Knightsbridge, sont devenus des noms communs, même si ce n'est que d'une façon officieuse, pour désigner les quartiers résidentiels les plus riches. La « Cité », sur tous ses grands édifices commerciaux qui bordent ses rues étroites, porte tous les signes d'un centre commercial d'échelle mondiale. A l'est, la transition est abrupte avec un quartier couramment connu sous le nom d'East End, en opposition au riche West End, quartier de rues misérables, correspondant en gros aux arrondissements de Stepney et Poplar, de Shoreditch et Bethnal Green, et avant tout – bien que pas du tout exclusivement associé aux problèmes inhérents à la vie des classes pauves. Sur la Tamise, en aval de London Bridge, Londres revêt l'aspect d'un des plus grands ports du monde avec des quais à l'infini et une foule inombrable de bateaux. Le nord de Londres est dans l'ensemble résidentiel : Hackney, Islington et St. Pancras comprennent principalement l'habitat des artisans et des classes moyennes, tandis qu'à Hampstead, St. Marylebone et Paddington on trouve de nombreux blocs (« terraces ») et des squares constituant des ensembles de belles maisons. Dans tous les meilleurs quartiers résidentiels de Londres, le nombre des grands édifices à usage d'habitation a considérablement augmenté dans la période actuelle. Mais même au milieu des quartiers les plus riches, à Westminster et ailleurs, on rencontre encore des demeures très pauvres dans des zones réduites mais parfaitement circonscites.

La population du « Grand Londres » en 1901 était de 6.581.402, au lieu de 4.766.661 en 1881 (un an avant la naissance de Virginia Woolf) et de 1.114.644 en 1801.. Mais en 1801, la population de la « Cité » était de 128.129, tandis qu'en 1901, après un déclin régulier tout au long du XIXe siècle, elle était tombée à 26.923. Avant la fin du XIXe siècle, Londres était devenu un grand centre ferroviaire avec treize gares terminales. Un réseau métropolitain souterrain avait débuté en 1863, mais ce fut l'introduction de la traction électrique dans les premières années du XXe siècle qui permit au « tube » (« métro ») de s'étendre rapidement, tant en extension qu'en popularité, spécialement entre 1906 et 1910. L'électrification des lignes de banlieue à l'air libre n'eut lieu qu'à la fin de la première guerre mondiale. Les omnibus à chevaux étaient apparus dans les rues de Londres dès 1829 (entre la Banque et Paddington), mais à partir de 1905 les autobus commencèrent à les remplacer. De la même façon, les taxis automobiles commencèrent à se substituer aux fiacres et en 1910, ils rattrapaient en nombre les « hansoms » et les fiacres réunis. Dans le Londres de *Mrs. Dalloway* (1923), les autobus, les taxis et les voitures automobiles sont depuis longtemps des traits classiques du décor londonien et occupent une place importante dans le roman.

Le Londres de Virginia Woolf connaissait la pauvreté, bien qu'il ne s'agît plus de l'horrible misère qui sévissait au temps de Dickens. Le fossé entre riches et pauvres était profond et visible dans les rues. Dans ses romans, Mrs. Woolf reconnait l'existence de la pauvreté et nous en donne de fréquents aperçus qui contribuent à la structure de sentiments et d'atmosphères qu'elle échafaude, mais elle n'explore pas cette pauvreté comme l'a fait Gissing, par exemple, dans *The Nether Worl.* La « vieille décrépite » qui chante à la sortie du métro de Regent's Park, ou cette phrase : « Les mères de Pimlico donnaient le sein à leurs petits » n'apparaissent dans *Mrs. Dalloway* qu'à titre de fugitives images symboliques. Dans *Les Années,* plus que dans tout autre roman, Virginia Woolf essaye de sensibiliser le lecteur, à la pauvreté, particulièrement à la pauvreté respectable, en l'insérant dans la texture de l'œuvre :

La rue pauvre sur la rive droite du fleuve était très bruyante. De temps en temps une voix se détachait du charivari général. Une femme s'adressait à sa voisine en criant ; un enfant pleurait. Un homme poussant une charrette ouvrait la bouche et criait en direction des fenêtres sur son passage. Il y avait des bois de lit, des grilles, des tisonniers, des morceaux de fer, bizarres et tout tordus sur sa charrette. Mais, qu'il vendît de la ferraille ou qu'il achetât de la ferraille était impossible à dire ; le rythme y était toujours ; mais les mots étaient presque effacés.

Ces phrases sont tirées de la partie du roman située en 1910. La rue pauvre de la rive droite s'appelle Hyams Place. Il n'y a et il n'y eut jamais aucune rue de ce nom à Londres, ni au nord, ni au sud de la Tamise. Son bruit et son charivari sont là pour évoquer un sentiment de pauvreté et les mots effacés de l'homme qui vend ou achète de la ferraille suggèrent ce qu'il y a de répétitif et d'inintelligible dans les cris de la rue plutôt que les problèmes de ceux qui les poussent. Il en va de même pour l'usage que fait Virginia Woolf de la musique des rues de Londres qu'elle a toujours trouvée suggestive et envoûtante. En 1905, elle a écrit un essai intitulé « London Street Music ». Ce sont les orgues de Barbarie qu'elle trouvait particulièrement touchants :

On était en janvier et il faisait gris, mais Mrs. Wagg était sur le pas de sa porte comme si elle s'attendait à quelque chose. Un orgue de Barbarie jouait avec l'indécence d'un rossignol sous les feuilles humides. Des enfants traversaient la rue en courant. Ca et là on pouvait voir des boiseries brunes sur la face intérieure des portes d'entrée.

Ce texte, tiré de *Jacob's Room*, décrit Lamb's Conduit Street à la limite orientale de Bloomsbury. L'orgue de Barbarie ne suggère pas toujours la tristesse. Plus loin, dans le même roman, Virginia écrit :

Bonamy était assis avec Clara dans la pièce de devant pleine de soleil avec, au dehors, la douce ritournelle de l'orgue de Barbarie ; la charrette-citerne allant lentement arrosant la chaussée ; les voitures avec leur cliquetis, et toute l'argenterie et les indiennes, les tapis brun et bleu et les bacs remplis de branches vertes rayées de barres jaunes et tremblées.

La scène maintenant est située dans un « square derrière Sloane Street où, par les chaudes journées de printemps, il y a des stores rayés au dessus des fenêtres de façades ». La période est celle qui précède de peu la déclaration de la première guerre mondiale. Plus loin il est question d'un défilé qui bloque la circulation dans Long Acre, tandis que « deux orgues de Barbarie jouaient près du trottoir ». Le plus évocateur des orgues de Barbarie que décrit Virginia Woolf est celui qui apparaît dans la dernière section de *The Years*, « Present Day » (les années trente) quand North Pargiter va voir sa tante Sara dans son misérable appartement de Milton Street, « une rue sombre, avec de vieilles maisons » – de fait située dans l'un des plus vieux quartiers de Londres, Cripplegate. Là, domine l'impression de saleté, de décrépitude et de pauvreté honorable :

Il fait quelques pas vers la fenêtre. Le soleil devait être en train de se coucher, car la brique de la maison d'angle rougissait d'un rose jaunatre. Une ou deux fenêtres supérieures étaient d'or poli. La jeune fille était dans la pièce et le troublait. Sur l'arrière plan étouffé des bruits de la circulation, bruits de roues, grincements de freins, s'éleva, tout près, le cri d'une femme soudain craignant pour son enfant ; le cri monotone d'un homme qui vendait des légumes ; et dans le lointain un orgue de Barbarie jouait. Il s'arrêta ; puis recommença...

Cet orgue de barbarie dans le lointain a ici la même fonction que la mandoline dans le « Waste Land » d'Eliot :

O Cité, cité, parfois je peux entendre
A la porte d'un bar dans Lower Thames Street
La douce plainte d'une mandoline...

L'écho d'Eliot est sans doute délibéré, car on trouve plus

loin un écho bien plus net, dans le même épisode, quand Sara dit la désillusion de sa vie de pauvreté honorable dans cette «cité polluée, cité sans foi, cité de poisson mort et de poèles usées – ce qui fait penser à une berge de fleuve, à marée basse, expliqua-t-elle. »

La scène de Milton Street dans *The Years* représente la tentative la plus soutenue dans les romans de Virginia Woolf pour rendre le sentiment de pauvreté, et encore d'une pauvreté qui n'a rien d'aigu. Plus encore que « The Waste Land », c'est Dickens que, de façon assez surprenante, l'on peut voir à l'arrière plan de certaines de ces descriptions. Je ne pense pas que ce soit pure coïncidence si North, arrivant aux abords de Milton Street, s'écrit : Where the dickens am I now ? » (Où diable suis-je maintenant ?). Et Virginia Woolf poursuit :

Quelqu'un avait tracé un cercle à la craie sur le mur, avec, dedans, une ligne en zigzag. Son regard parcourut la longue perspective. Les portes et les fenêtres, les unes après les autres, répétaient le même dessin. Tout était rempli d'une brume jaune et tiède. De petites charrettes de fruits et de fleurs étaient arrêtées le long du trottoir.

Il tourne et pénètre dans Milton Street :

« Quelle idée de vivre dans une rue si sale » dit-il, tandis qu'il restait assis immobile dans la voiture pendant un moment – à ce moment une femme traversa la rue, une cruche sous le bras – « si répugnante, » et il ajouta, « si misérable »... Il pressa la sonnette de deux ou trois coups secs. Mais personne ne répondit. Alors, il poussa la porte ; elle était ouverte. Il y avait une curieuse odeur dans l'entrée, une odeur de légumes en train de cuire ; la tapisserie d'un brun huileux la rendait sombre. Il monta les escaliers de ce qui avait été jadis une maison bourgeoise. La rampe était sculptée, mais elle avait été recouverte et gâchée avec un vernis jaune bon marché.

Cette scène n'est pas du tout typique de Virginia Woolf. Bien plus typique est ce qu'elle décrit dans son *Journal* le 26 mai 1926 :

Londres est un enchantement. C'est comme si je m'avançais sur un tapis magique de couleur fauve et me trouvais transportée au cœur de la beauté sans avoir à lever le petit doigt. Les nuits sont étonnantes avec tous leurs portiques blancs et leurs larges avenues silencieuses. Et les gens entrent et sortent, légers, amusants comme des lapins ; et mon regard parcourt Southampton Row, mouillée comme le dos d'un phoque ou rouge et jaune de soleil et j'observe les autobus qui vont et viennent et j'entends ces vieilles folles d'orgues de Barbarie. Un de ces jours j'écrirai quelque chose sur Londres pour dire comment la ville prend le relais de votre vie personnelle et la continue sans le moindre effort.

Effectivement elle tint promesse, l'année suivante, dans l'essai intitulé « Street Haunting ». (Publié d'abord dans la *Yale Review*, en 1927, il n'a donc pu être écrit en 1930, date que lui assigne Leonard Woolf dans une note écrite au moment de la publication dans le recueil posthume *The Death of the Moth*). A cette époque elle vivait au 52 de Tavistock Square, et l'essai évoque une promenade hivernale entre Bloomsbury et l'Embankment. Bien que beaucoup des scènes londoniennes les plus artistement rendues de ses romans soient estivales, ici, elle décrit son « vagabondage dans les rues de Londres comme l'un des plus grands plaisirs de la vie urbaine en hiver ». La topographie de l'essai n'est pas très précise, mais en gros, il nous prend à un « square de Londres entouré de bureaux et d'appartements » – Tavistock Square apparemment – et nous fait descendre Woburn

Place et Southampton Row jusqu'à Holborn, pour déboucher entre « ces vieilles maisons étroites entre Holborn et Soho ». En même temps on a l'impression que l'auteur a suivi un autre itinéraire, descendant Tottenham Court Road pour aboutir à Charing Cross Road, car elle décrit les magasins de livres d'occasions de ce qui doit être cette dernière rue. Mais la chose est sans importance. Elle va au Strand pour acheter un crayon. Une fois là, elle jette un regard dans Lancaster Place près de Somerset House et voit la Tamise et Waterloo Bridge. (Elisabeth Dalloway, elle aussi, s'est trouvée là et a vu les mêmes choses après avoir pris le thé avec Miss Killman aux Army and Navy Stores.) Elle descend jusqu'au fleuve, puis revient au Strand et achète son crayon.

Comme elle est belle la rue en hiver ! Elle est à la fois révélée et obscurcie. Ici on peut vaguement retrouver la symétrie rectiligne d'avenue de portes et de fenêtres ; là, sous les lampes flottent des îles de lumière pâle que traversent rapidement des hommes, et des femmes, lumineux, qui malgré toute leur pauvreté et leurs vêtements défraichis, ont un air irréel, un air de triomphe, comme s'ils avaient faussé compagnie à la vie...

Comme elle est belle la rue de Londres alors, avec ses îles de lumière, et ses longs bosquets d'obscurité, et sur un de ses côtés, peut-être, quelque espace herbu avec quelques arbres çà et là dans lequel la nuit se replie pour trouver son sommeil naturel, et, tandis qu'on passe le long des grilles, on entend ces minuscules craquements et froissements de feuilles et de brindilles qui semblent supposer, tout autour d'eux, le silence des champs, le hululement d'un hibou, et dans le lointain le grondement d'un train dans la vallée. Mais nous sommes à Londres, quelque chose nous le rappelle ; la-haut parmi les arbres dénudés sont suspendus des cadres rectangulaires de lumière rougeâtre – des fenêtres ; il y a des points brillants qui brûlent sans scintiller comme des étoiles basses sur l'horizon – des lampadaires ; ce terrain vide qui recèle en lui la campagne et sa paix, n'est qu'un square de Londres, entouré de bureaux et d'appartements où, à cette heure, des lumières vives flambent sur des cartes, des documents, des bureaux où des employés assis feuillettent d'un index humide les dossiers de correspondances éternelles ; ou plus diffuse, la lumière d'une cheminée vacille et la lumière de la lampe tombe sur l'intimité de quelque salon, ses fauteuils, ses papiers, ses porcelaines, sa table de marquetterie, et la silhouette d'une femme qui mesure avec minutie le nombre précis de cuillerées de thé que... Elle regarde la porte comme si elle avait entendu sonner en bas et quelqu'un demander si elle était là.

La description dérive comme malgré elle pour amorcer un roman miniature. Peter Walsh, dans *Mrs. Dalloway*, marchant de Bloomsbury à Westminster par un itinéraire semblable, avait noté une scène londonienne du même genre, à la seule différence qu'elle se situe en été :

Beauté de toute façon. Non pas la beauté brute du regard. Ce n'était pas de la beauté pure et simple – Bedford Place débouchant dans Russell Square. C'était, bien sûr, ce qu'il y a de direct et de vide ; la symétrie d'un corridor ; mais il y avait aussi des fenêtres éclairées, un piano, un gramophone qui jouait ; le sentiment d'une source de plaisir cachée, mais qui de temps en temps émergeait, quand par des fenêtres sans rideaux, une fenêtre laissée ouverte, on pouvait voir des groupes assis à des tables, des jeunes gens se déplaçant lentement, des conversations entre hommes et femmes, des soubrettes regardant par la fenêtre, désœuvrées (quels étranges commentaires elles devaient faire, une fois leur journée finie), des bas séchant sur une corniche supérieure, un perroquet, quelques plantes...

Il y a, bien sûr, des scènes londoniennes dans les premiers romans, mais ce n'est qu'avec *Jacob's Room* qu'on trouve le parfum caractéristique de ce qui me semble être le Londres de Virginia Woolf :

Au coin de chez Mudie dans Oxford Street tous les grains rouges et bleus s'étaient rassemblés sur la ficelle. Les autobus étaient bloqués. M. Spalding qui allait à la Cité regardait Mrs. Budgeon dont la destination était Shepherd's Bush. La proximité des autobus donnait aux voyageurs de l'impériale ouverte l'occasion de se regarder face à face. Toutefois, peu en profitaient... Les autobus démarrèrent avec une secouse et chacun éprouva un soulagement à se sentir un peu plus proche du terme de son voyage, bien que quelques uns, par delà leurs obligations immédiates, caressassent la promesse de jouissances ultérieures – un steak et un pâté de rognons, un apéritif, ou une partie de dominos dans le coin enfumé d'un restaurant de la Cité. Oh ! oui, la vie est parfaitement tolérable sur l'impériale d'un autobus dans Holborn quand l'agent lève les bras et que le soleil vous frappe dans le dos et si une coquille que l'homme secrète à sa mesure est quelque chose qui existe, c'est là qu'on la trouve, sur les bords de la Tamise, là où les grandes artères se rejoignent et où la cathédrale de St. Paul, comme la volute au sommet d'une coquille d'escargot, lui donne la dernière touche.

Jacob observe la foule du haut des marches de St. Paul. « Les rues leur appartiennent ; les magasins ; les églises ; à eux les bureaux innombrables ; toute l'étendue des lumières des bureaux ; les camionnettes sont à eux, et les chemins de fer suspendus au dessus de la rue. » Il croise une vieille aveugle qui chante dans le rue comme, dans *Mrs. Dalloway*, les Septimus Warren Smith croisent la vieille qui chante. Avec le cours des saisons, Londres change :

Les lampadaires de Londres soutiennent l'obscurité comme sur la pointe de baïonnettes en flammes. Le dais jaune s'affaisse et se gonfle au dessus d'un grand lit à colonnes. Les voyageurs des diligences qui pénétraient au trot dans Londres au XVIIIe siècle regardaient à travers des branches dénudée et voyaient les lumières de la ville au dessous d'eux. La lumière brûle derrière des stores jaunes et des stores roses, et au dessus des impostes, et en bas, aux fenêtres des sous-sols. Le marché public dans Soho est un déchaînement de lumière. La viande crue, les tasses de porcelaine, et les bas de soie y flambent. Des voix rauques s'enroulent autour des becs de gaz incandescents...

Plus tard, Jacob est debout sous le porche du British Museum. « Il pleuvait. Great Russell Square était verni et brillant – jaune ici, là, en face de la pharmacie, rouge et bleu pâle. Les gens se pressaient en rasant le mur ; les voitures descendaient la rue, brinquebalant, pêle-mêle ». Nous avons un bref aperçu de « la femme dans l'impasse, derrière Great Ormond Street, et qui est rentrée ivre et crie toute la nuit : Ouvre moi ! ouvre moi ! » – non pas comme détail en soi, mais en contrepoint à Jacob plongé dans sa lecture de Platon. Nous nous déplaçons continuellement entre Bloomsbury, Holborn et le Strand, avec des échappées sur Piccadilly et Oxford Street, Trafalgar Square et Whitehall et vers le sud en direction de la Tamise. La direction dominante de la marche (comme dans « Street Hauting » est de Bloomsbury vers Holborn, voie ouverte par les grands travaux d'urbanisme de la fin du XIXe siècle. « Jacob pivota sur lui-même. Deux minutes plus tard il ouvrit sa porte et s'éloignait à pied dans la direction de Holborn. » Vers la fin du roman se situe une scène, pendant l'été 1914, qui est pour ainsi dire une version d'avant guerre d'une scène parallèle de *Mrs. Dalloway*, située en 1923. Voici la plus ancienne :

L'autobus s'arrêta en dehors de Charing Cross ; derrière lui se trouvaient coagulés autobus, camionnettes, voitures, car un défilé avec des bannières descendait Whitehall et des gens âgés descendaient avec des gestes raides d'entre les pattes des lions glissants... La circulation s'arrêta, et le soleil n'étant plus dispersé par la brise devint presque trop chaud. Mais le défilé passait ; les bannières brillaient loin tout en bas de Whitehall ; la circulation se trouva libérée ; démarra avec une secousse, graduellement atteignit son régime régulier et son grondement continu ; elle prit le tournant de Cockspur Street ; passa majestueusement devant les bureaux du Gouvernement et les statues équestres et descendit Whitehall aux flèches acérées, la flotte grise de constructions à l'ancre et l'énorme horloge blanche de Westminster.

Big Ben entonna cinq coups, Nelson accueillit la salve. Les fils téléphoniques de l'Amirauté tressaillirent sous quelque lointain message. Une voix continuait à faire remarquer que des premiers ministres et des vice rois parlaient au Reichstag ; entraient à Lahore ; disait que l'Empereur était en voyage ; à Milan il y avait des émeutes ; disait qu'il y avait des rumeurs à Vienne ; disait que l'ambassadeur à Constantinople était reçu en audience par le Sultan ; la flotte était à Gibraltar...

Et voici le passage parallèle dans *Mrs. Dalloway* :

Après avoir traversé Piccadilly, la voiture tourna dans

St. James's Street. Des hommes de haute taille, des hommes d'un physique robuste, des hommes bien habillés, en queues-de-pie et gilets blancs, les cheveux peignés en arrière et qui, pour des raisons difficiles à expliquer, se tenaient aux fenêtres en saillies de Brooks, les mains derrière les basques de leur habit, regardant dehors, perçurent instinctivement que c'était la grandeur qui passait, et la pâle clarté de la présence immortelle descendit sur eux comme elle était descendue sur Clarissa Dalloway. Tout d'un coup ils se tinrent encore plus droit et retirèrent leurs mains de derrière leur dos, et semblèrent prêts à servir leur souverain jusque devant la gueule des canons, si besoin était, comme l'avaient fait leurs ancêtres avant eux. Les bustes blancs et, dans le fond, les petites tables couvertes d'exemplaires du *Tattler* et de siphons d'eau de Seltz avaient l'air d'approuver ; avaient l'air de montrer l'océan des champs de blé et les manoirs d'Angleterre ; et de renvoyer le faible ronronnement des roues de la voiture comme les murs d'une voûte acoustique renvoient une seule voix, magnifiée et rendue sonore par la puissance de toute une cathédrale. Sous son châle, Moll Pratt avec ses fleurs sur le trottoir adressa tous ses vœux à ce brave garçon (pour sûr, c'était le prince de Galles) et aurait volontiers jeté dans St. James's Street le prix d'une chope de bière – un bouquet de roses – rien que parce qu'elle se sentait le cœur léger et était prête à crier « au diable l'avarice », si elle n'avait senti sur elle le regard de l'agent de police désapprouvant la loyauté d'une vieille Irlandaise. Les sentinelles de St. James présentèrent les armes ; l'agent de police de la reine Alexandra eut un hochement d'approbation.

Pendant ce temps un petit rassemblement s'était formé aux grilles du Palais de Buckingham. L'air indifférent, avec confiance cependant, et tous de petites gens, ils regardaient le Palais avec son drapeau au vent ; ils regardaient Victoria flottant sur son monticule, admiraient la succession des plans d'eau courante, les géraniums ; de toutes les voitures dans le Mall, ils choisissaient d'abord celle-ci, puis celle-la, faisaient don de leur émotion, en pure perte, à des roturiers en promenade, rattrapaient leur tribut pour le conserver intact tandis que passaient cette voiture, puis celle-là , et pendant tout ce temps, ils laissaient la rumeur s'accumuler dans leurs veines et exciter les nerfs de leurs cuisses à la pensée de membres de la famille royale jetant les yeux sur eux ; la Reine inclinant la tête ; le Prince saluant ; à la pensée de la vie paradisiaque, don divin accordé aux rois ; à la pensée des écuyers et des profondes révérences ; à la pensée de la vieille maison de poupées de la reine, du mariage de la princesse Mary avec un Anglais, et du prince – ah ! le prince ! qui ressemblait si étonnament disait-on, au vieux roi Edouard, mais qui était tellement plus mince. Le prince vivait au Palais de St. James, mais il pouvait venir le matin rendre visite à sa mère.

Le sentiment de la rumeur publique, de la famille royale, du gouvernement de l'histoire et du petit peuple, le tout mêlé à la circulation et se répandant dans l'air de Londres pour créer une partie de son atmosphère caractéristique, se trouvent dans les deux textes et représentent une attitude de l'écrivain, mi-ironique, mi-sincère.

Dorothy Brewster a prétendu que *The Years* était le roman londonien par excellence, mais bien qu'il se passe à Londres d'un bout à l'autre et qu'on y trouve maintes descriptions de scènes londoniennes s'étageant entre 1880 et 1930, il ne me semble pas que la qualité réelle du roman soit affectée d'une façon significative du fait que son cadre soit Londres non plus que les descriptions de la ville (parfois, comme je l'ai noté, de rues imaginaires) reflètent les sentiments les plus profonds de Virginia Woolf à son égard. Pour moi, c'est *Mrs. Dalloway* qui est le roman londonien de Virginia Woolf. Non seulement il révèle ses diverses façons de voir Londres avec plus de continuité et de sensibilité que n'importe quel autre de ses romans, mais c'est aussi un roman topographique de Londres, de la même manière, bien qu'à une échelle plus réduite, qu'*Ulysses* de Joyce est un roman topographique de Dublin. Toutes les scènes sont situées avec précision et les personnages principaux se déplacent dans la ville avec grande précision et d'une manière importante quant à la structure et à la signification du roman.

Le Londres de *Mrs. Dalloway* n'est pas Bloomsbury. Il s'étend depuis Westminster, au sud de Victoria Street près de l'Abbaye, en direction du Nord à travers St. James's Park vers Piccadilly et de là, toujours vers le nord en remontant Bond Street jusqu'à Brook Street : en gros St. James et Mayfair. Mais Bloomsbury n'est pas passé sous silence dans le roman. Septimus et Rezia Smith y vivent en garni (« Ces vieilles maisons de Bloomsbury, dit le Dr. Holmes, tapant du doigt sur le mur, ont souvent de très belles boiseries que les propriétaires ont la bêtise de recouvrir de papier peint ») – et ce garni sera le lieu du suicide de Septimus ; et le fait que, presque à la fin du roman, quand Mrs. Dalloway entend parler de la mort de Septimus, elle sente une sorte d'identité avec lui, suggère un lien symbolique entre Westminster et Bloomsbury.

Mrs. Dalloway s'ouvre sur Clarissa quittant sa maison un matin de juin en 1923 pour acheter des fleurs en vue de la soirée qu'elle doit donner le jour même. On ne nous dit pas exactement où est sa maison, mais un peu plus loin, lorsque Mr. Dalloway rentre de son déjeuner avec Lady Bruton, nous apprenons qu'il prend Dean's Yard et qu'il s'approche de sa porte. (Au même moment, à l'intérieur, le son de Big Ben inonde le salon de Mrs. Dalloway). Dean's Yard se trouve à l'angle sud-ouest de l'Abbaye de Westminster, de sorte que les Dalloway doivent habiter dans son voisinage immédiat. Mr. Dalloway est un membre du Parlement. A dix heures, Mrs. Dalloway attend pour traverser Victoria Street (sur le trottoir sud). Ensuite, nous la voyons entrer dans St. James's Park, où elle rencontre Hugh Whitbread, « qui vient, tournant le dos aux bâtiments gouvernementaux ». (Ceci suggère qu'elle n'a pas traversé le centre du Parc, ni traversé le pont sur le lac, mais qu'elle a suivi la lisière est, parallèle à Horse Guards Road. Ce qui est d'ailleurs un long détour puisqu'elle doit aller à Piccadilly et à Bond Street). « Des messages passaient de la Flotte à l'Amirauté. On aurait dit qu'Arlington Street et Piccadilly échauffaient jusqu'à l'air même du Parc. » Elle atteint les grilles du Parc et reste un moment « à regarder les autobus dans Piccadilly ». Elle marche vers l'est dans Piccadilly vers Bond Street, ayant vraisemblablement traversé le Mall et remonté Marlborough Road et St. James's Street. Elle regarde la vitrine de la librairie Hatchard sur le trottoir sud de Piccadilly au delà de l'endroit où Bond Street débouche sur le côté nord, puis elle revient vers Bond Street, traverse cette rue et la remonte jusque chez le fleuriste. C'est alors qu'on entend le retour de flamme d'une voiture dans la rue et « immédiatement des rumeurs circulent depuis le milieu de Bond Street jusqu'à Oxford Street ». A cet endroit, nous apercevons Septimus et Rezia Warren Smith, qui eux aussi sont dans Bond Street. La voiture poursuit sa route vers Piccadilly et Mrs. Dalloway sort de chez le fleuriste avec ses fleurs. Nous revenons pour suivre la voiture qui tourne dans St. James's Street vers Buckingham Palace. J'ai déjà cité le passage décrivant les messieurs bien habillés qui regardent passer la voiture royale des fenêtres de Brooks – le club de St. James's Street fondé depuis si longtemps. Pendant ce temps, une foule s'est rassemblée devant le Palais de Buckingham : on y trouve Sarah Bletchley qui habite Pimlico, ce quartier de Londres au sud de Belgravia, entre la gare Victoria et la Tamise, qui symbolise plus d'une fois dans le roman le Londres des classes ouvrières, bien que l'East End eût été plus approprié. Un aéroplane dans le ciel est entendu par « tous les gens dans le Mall, dans Green Park, dans Piccadilly, dans Regent's Street, dans Regent's Park » ; il est vu par les Warren Smith qui sont maintenant assis dans Regent's Park (ils ont dû faire vite pour remonter New Bond Street et Harley Street). Maisie Johnson, arrivée d'Edimbourg il y a deux jours pour travailler chez son oncle dans Leadenhall Street, traverse le parc et demande aux Warren Smith comment aller à la station de métro de Regent's Park. Mrs. Dempster « qui gardait les restes de pain pour les écureuils et qui souvent déjeunait à Regent's Park » observe les Warren Smith ; elle habite Kentish Town, qui est au nord de Regent's Park (les Warren Smith, au contraire, sont arrivés au Parc par le sud.) Mrs. Dempster lève la tête pour regarder l'aéroplane, lequel est vu au même moment par Mr. Bentley en train de rouler son carré de gazon à Greenwich. L'avion vole au dessus de Ludgate Circus, qui est entre Fleet Street et Ludgate Hill au cœur de la Cité, « tandis qu'un homme miteux, indéfinissable, portant un sac de cuir était planté sur les marches de la Cathédrale St. Paul... » Les gens sont encore en train de regarder l'avion quand Mrs. Dalloway arrive chez elle.

Tandis qu'elle se repose chez elle, Mrs Dalloway pense à sa couturière qui a pris sa retraite et vit à Ealing, une banlieue extérieure de Londres. Peter Walsh vient voir Mrs. Dalloway et nous le suivons quand il la quitte. Nous le voyons dans Victoria Street quand Big ben sonne 11 heures et demi. Un groupe de garçons en uniforme remontant Whitehall au pas cadencé le dépasse. Il atteint Trafalgar Square et se met à suivre une jolie femme, le long de Cockspur Street puis en remontant

Haymarket, « et ainsi de suite... il traverse Piccadilly, et remonte Regent's Street ». Il la voit traverser Oxford Street et Great Portland Street puis tourner dans « l'une des petites rues » où elle ouvre une porte et disparaît. Peter Walsh alors se demande où il va s'asseoir pour attendre l'heure de son rendez-vous chez ses avoués à Lincoln's Inn. Il se décide pour Regent's Park.

Nous passons maintenant aux Warren Smith, qui sont toujours dans Regent's Park. Il est midi moins le quart. Peter Walsh observe leur air malheureux et imagine qu'ils se disputent ; en fait, Septimus, le dérangé mental, est emmené par sa femme à la consultation de Sir William Bradshaw, spécialiste de Harley Street. Peter Walsh sort de Regent's Park et entend une vieille femme qui chante en face de la station de métro de Regent's Park. Il prend alors un taxi pour aller à l'étude de son avoué. Les Warren Smith, eux aussi, entendent la vieille femme qui chante, et Rezzia s'apitoie sur elle. Nous les voyons ensuite Portland Place. Un flashback nous apprend que Septimus, encore jeune célibataire, avant la guerre a habité une chambre juste en marge de Euston Road et qu'il a suivi les conférence de Miss Isobel Pole sur Shakespeare dans Waterloo Road (qui est sur la rive de la Tamise). Nous apprenons que sa femme, Italienne de naissance, a une tante qui vit à Soho (connu comme le quartier de Londres habité par les étrangers depuis la fin du XVIIe siècle), et que peu après leur mariage, il y a cinq ans de cela, ils ont pris « un merveilleux appartement juste en marge de Tottenham Court Road ». Nous revenons au présent : il est midi et les Warren Smith descendent Harley Street, leur rendez-vous chez Sir William Bradshaw est pour midi. Après la discussion décevante avec Sir William nous les voyons descendre à nouveau Harley Street avant de nous trouver avec Hugh Whitbread qui est dans Oxford Street en train de remarquer à l'horloge suspendue au dessus de chez MM. Rigby et Lowndes qu'il est une heure trente. Il est en route pour aller déjeuner avec Lady Bruton, Brook Street dans Mayfair. (Il y a une Bruton Street tout près de Brook Street : Virginia Woolf a d'abord pensé au nom de Lady Bruton et ensuite, peut-être inconsciemment, elle lui a donné une adresse proche de Bruton Street, à moins qu'elle n'ait d'abord pensé à Brook Street comme adresse chic à Mayfair et qu'elle ait ensuite appelé son personnage Lady Bruton d'après la rue voisine). M. Dalloway est aussi chez Lady Bruton pour le déjeuner. Après le déjeuner les deux hommes vont à pied ensemble à Conduit Street. Il est assez intéressant de constater que Conduit Street est la continuation de Bruton Street du côté est de New Street. M. Dalloway traverse Green Park et entre dans Dean's Yard quand Big Ben sonne trois heures. En une minute il est chez lui.

A trois heures trente, la fille de Mrs. Dalloway, Elisabeth et sa gouvernante, Miss Kilman, vont à pied aux Army and Navy Stores de Victoria Street. Après y avoir pris le thé, Elisabeth s'en va seule. Miss Kilman quitte le magasin et remarque, se dressant devant elle, la tour de la cathédrale de Westminster (la cathédrale catholique du XIXe siècle à Ashley Place) elle va à pied à Westminster Abbey chercher un réconfort religieux, Elisabeth prend un bus dans Victoria Street, remonte Whitehall, suit le Strand et descend à Chancery Lane. Elle part à pied en direction de l'est dans Fleet Street, tourne à droite pour prendre Middle Temple Lane : nous la voyons « au Temple » (les vieux Inns of Court, l'Inner Temple et le Middle Temple, deux des quatre Ecoles de Droit de Londres à l'époque) « où elle rêve aux bateaux, aux affaires, au droit, à l'administration », consciente de la présence de la Tamise tout près et de Temple Church du XIIIe siècle (qui a survécu au grand incendie de 1666 et qui est l'un des plus beaux specimens du gothique anglais de la première époque). Elle revient dans Fleet

Street et « fait quelques pas en direction de la Cathédrale St. Paul », c'est-à-dire vers l'est le long de Fleet Street vers Ludgate Hill. Là, elle se sentait comme

quelqu'un qui explore une maison inconnue, la nuit, une bougie à la main, tendue de crainte que le propriétaire n'ouvre subitement la porte de sa chambre et lui demande ce qu'elle fait là, aussi n'osa-t-elle pas s'écarter dans les allées étranges, les petites rues tentantes... Car aucun Dalloway ne prenait quotidiennement le Strand ; elle était une prisonnière, une égarée, à l'aventure, à la grâce de Dieu.

Elle retourne vers le Strand où elle prend un bus qui la ramène à Westminster.

Changement de décor : nous sommes chez les Warren Smith à Bloomsbury. Le docteur Holmes vient pour emmener Septimus dans un asile, et Septimus se tue en se jetant par la fenêtre. Peter Walsh voit l'ambulance qui a été appelée par le docteur Holmes, et il entend sa cloche quand elle tourne « à la rue suivante » et traverse Tottenham Court Road. Il spécule à propos de cette ambulance, et à propos de la vie et de la mort tandis qu'il passe devant « la boite aux lettres qui est en face du British Museum ». Il se rappelle s'être trouvé dans un bus, une fois, avec Mrs. Dalloway et pense à ce qu'elle a dit « tandis qu'ils étaient assis dans le bus qui remontait Shaftsbury Avenue ». Il continue à penser à elle quand il arrive à son hôtel dont l'emplacement précis ne nous est pas donné mais qui doit être à Bloomsbury. Plus tard, nous le voyons quitter son hôtel pour se rendre à la soirée de Mrs. Dalloway. Il est ravi par les scènes de Londres qu'il traverse par cette chaude soirée d'été. J'ai déjà cité son monologue en cette circonstance. Il va à pied depuis le Bloomsbury de Mrs. Woolf en direction du sud vers le Westminster de Mrs. Dalloway.

« Il allait d'un pas léger, à travers Londres, vers Westminster, l'œil alerte », et nous suivons son regard et ses observations. Il arrive enfin à la rue de Clarissa Dalloway (serait-ce Great College Street ?) « Mais c'était sa rue, cela, la rue de Clarissa ; les taxis prenaient le virage à toute allure, comme l'eau contre une pile de pont, se suivant de près, du moins lui semblait-il, parce qu'ils amenaient des invités à sa soirée, à la soirée de Clarissa. » Sir William et Lady Bradsham arrivent en retard, expliquant qu'on a téléphoné à Sir William juste au moment où ils partaient, « un cas bien triste ». « Un jeune homme... s'était tué. » Mrs. Dalloway a le sentiment de comprendre pourquoi le jeune homme a fait cela ; elle s'identifie à lui contre Sir William. Quand l'horloge sonne trois heures du matin, elle pense toujours à Septimus. La soirée se poursuit. La vieille amie de Mrs. Dalloway, Sally Seton, lui raconte qu'elle « est descendue Victoria Street, pratiquement juste à côté ». Nous sommes toujours chez Mrs. Dalloway aux derniers moments de la soirée quand le roman se termine.

Si on ne suit pas la topographie du roman, on perd beaucoup. Le sentiment que Virginia Woolf a de Londres l'aide à définir ses personnages et le sentiment qu'elle a de ses personnages l'aide à définir Londres, et ceci d'un façon beaucoup plus systématique que dans n'importe quel autre de ses romans. Si nous lisons *Mrs. Dalloway* à la lumière de toutes les références à Londres qu'on trouve dans le *Journal* et les essais, on se rend compte de tout ce qui est entré dans le roman de la sensibilisation de l'auteur à l'atmosphère complexe de Londres. Bien sûr, Virginia Woolf s'intéressait aussi au Londres du passé – non pas seulement du passé récent, tel qu'on le voit dans les premiers chapitres de *The Years,* mais aussi au Londres médiéval, élisabéthain, et à celui du XVIIIe siècle. *Orlando* en témoigne, ainsi que les nombreuses références au Londres des différentes périodes antérieures dispersées dans les essais. Mais le Londres qui réellement a hanté son imagination est le Londres où elle est née, où elle a grandi et où elle a passé tant d'années de sa vie, le Londres que, comme le montre son *Journal*, elle redécouvrait avec enthousiasme chaque fois qu'elle y revenait après une absence. Sa dernière redécouverte, toutefois, fut triste : c'est le Londres dévasté par la guerre qu'elle décrivit peu avant sa mort, quand elle et son mari vinrent de Rodmell pour un bref séjour dans la ville.

Nous avons passé lundi à Londres. Je suis allée à London Bridge. J'ai regardé le fleuve ; très brumeux ; quelques plumets de fumée, peut-être des maisons en train de brûler. Il y avait eu un autre incendie samedi. Puis, j'ai vu la falaise d'un mur, rongé sur un coin ; un grand coin complètement démoli ; une banque ; le Monument (colonne commémorative de l'incendie de 1666) toujours debout ; essayé de prendre un bus ; mais un tel encombrement que je suis descendue ; le bus suivant m'a conseillé d'aller à pied. La circulation complètement bloquée : on faisait sauter des rues. Alors j'ai pris le métro jusqu'au Temple ; là, j'ai erré dans les ruines désertes de mes vieilles places ; éventrées ; démantelées ; les vieilles briques rouges réduites en poussière blanche, comme un chantier de construction. Des gravats gris et des fenêtres brisées. Des gens venus voir ; toute cette perfection, violée et démolie.

Un triste tableau, mais qui a sa grandeur. Elle aurait pu peindre un tableau plus triste encore si elle avait assez vécu pour voir ce qu'à présent les urbanistes ont fait de Londres[1].

1. Traduit de l'anglais par Jean GUIGUET.

BUS MAP
BUS TERMINUS
NIGHT SERVICE PREFIXED
SUNDAY SERVICE & ROUTE VARIATIONS
PARK
QUEEN MARY'S GARDENS
ST PANCRAS STATION
EUSTON STATION
EUSTON SQ.
KINGS CROSS RD.
GRAYS INN ROAD
FARRINGDON RD.
ST JOHN
AVENUE
GOSWELL RD.
CITY RD.
EAST
OLD STREET
CITY ROAD
BAKER STREET
EUSTON ROAD
TOTTENHAM COURT ROAD
GOWER STREET
PORTLAND PL.
GOODGE ST
GUILFORD STREET
SOUTHAMPTON ROW
THEOBALDS ROAD
CLERKENWELL ROAD
ALDERSGATE ST.
BARBICAN
CHISWELL ST
BROAD ST STATION
LIVERPOOL ST. STATION
BISHOPSGATE
MIDDLESEX
HOUNDSDITCH
MOORGATE
LONDON WALL
HOLBORN
HOLBORN VIADUCT
NEWGATE S.
CHEAPSIDE
POULTRY
CORNHILL
THREADNEEDLE
LEADENHALL ST
ALDGATE
MINORIES
FENCHURCH ST
EASTCHEAP
TOWER HILL
CANNON ST
QUEEN VICTORIA
WIGMORE ST
MORTIMER ST
OXFORD
REGENT STREET
NEW OXFORD ST
HIGH
KINGSWAY
CHANCERY LANE
FLEET ST
STRAND
ALDWYCH
EMBANKMENT
BLACKFRIARS
CHARING CROSS RD.
SHAFTESBURY
LEICESTER SQ.
COVENT GARDEN
PICCADILLY CIRCUS
NEW BOND STREET
BERKELEY SQUARE
PARK LANE
PICCADILLY
GREEN PARK
PALL MALL
TRAFALGAR SQ.
WHITEHALL
THE MALL
ST JAMES'S PARK
BIRDCAGE WALK
CONSTITUTION HILL
GROSVENOR PL.
VICTORIA STREET
VICTORIA STATION
VAUXHALL
HORSEFERRY ROAD
MILLBANK
LAMBETH BR.
WESTMINSTER BR.
WESTMINSTER BRIDGE ROAD
LAMBETH PALACE RD.
LAMBETH
KENNINGTON
WATERLOO BR.
WATERLOO
WATERLOO STATION
YORK ROAD
STAMFORD ST
SOUTHWARK ST
BLACKFRIARS ROAD
BOROUGH HIGH STREET
LONDON BR.
LONDON BR STATION
TOOLEY
BERMONDSEY
TOWER BR.
GREAT DOVER ST.
LONG LANE
NEW KENT ROAD
ST GEORGES RD
LONDON RD
T H A M E S

CONTINUED ON PAGE 7
ROBERT ST.
CLARENCE GARDENS
STANHOPE
NETLEY ST
WILLIAM RD
DRUMMOND
HAMPSTEAD RD.
St James's Gardens
NORTH GOWER
EUSTON
STEPHENSON WAY
Euston Square
EUSTON ROAD
A 501
EUSTON SQUARE
GRAFTON PL.
LANCING ST
Hosp
TOLMERS SQ
LONG FORD
THE EUSTON CENTRE
Warren Street
EUSTON
WARREN
CONWAY
FITZROY SQUARE
GRAFTON
TOTTENHAM COURT ROAD
GOWER PL
GOWER ST
University College
Hosp.
UNIVERSITY ST
ENDSLEIGH GDNS
ENDSLEIGH ST
ENDSLEIGH PL
TAVITON ST
GORDON SQUARE
GORDON
TAVISTOCK SQUARE
A 4200
WOBURN PL
WOBURN WALK
BURTON ST
BEDFORD WAY
MALET ST
TORRINGTON PL
TORRINGTON
HUNTLEY
CHENIES MEWS
CHENIES ST
RIDGMOUNT
W.C.1
London University
Lond'n Sch. Hyg'ne
KEPPEL ST
MONTAGUE PL
British Museu
STORE ST
Goodge Street
GOODGE ST
CHARLOTTE ST
HOWLAND ST
MAPLE ST
CLEVELAND
GREAT PORTLAND ST
BOLSOVER
BURTON ST
TITCHFIELD
CLIPSTONE
HANSON
OGLE ST
FOLEY
NASSAU
Middlesex Hosp.
GOSFIELD
BEDFORD SQUARE
BLOOMSBURY
ADELINE PL
BEDFORD AV
GT RUSSELL
NEW OXFORD ST
WINDMILL ST
PERCY
RATHBONE
NEWMAN
BERNERS
BERNERS MEWS
MORTIMER
RIDING HOUSE
LANGHAM
ALL SOULS PL.
CAVENDISH
Polytechnic
MARGARET
REGENT STREET
EASTCASTLE
OXFORD STREET
A 40
Oxford Circus
OXFORD CIRCUS
ARGYLL ST
RAMILLIES
POLAND
BERWICK
WARDOUR
DEAN
SOHO SQUARE
CHARING CROSS
GREEK
FRITH
GILES HIGH ST
DENMARK
NEW COMPTON
EARLHAM
SEVEN DIALS
W.C.2
A 400
Tottenham Court Road
HANOVER SQUARE
HANOVER ST
PRINCES
ST GEORGE
A 4201
MARLBOROUGH ST
D'ARBLAY ST
NOEL
Baths
BROADWICK
MARSHALL
CARNABY
KINGLY
FOUBERT'S PL
MEARD
BOURCHIER'S
BATEMAN
COMPTON
ROMILLY
MOOR ST
CAMBRIDGE CIRCUS
LITCHFIELD
SHAFTESBURY
GERRARD ST
LISLE
CRANBOURN ST
CONDUIT
SAVILE
NEW BURLINGTON
MADDOX
CONTINUED ON PAGE 27
D
E
F
17
1
2
3
4

DISCUSSION

Jean GUIGUET : Pour David Daiches, *Mrs. Dalloway* est un roman topographique, qu'il met en parallèle avec l'*Ulysses* de James Joyce. Je ne crois pas que cela contredise en rien ce que j'ai dit lorsque j'ai opposé l'un à l'autre ces deux romans. Leurs topographies, en effet, sont strictement personnelles, jusqu'aux détails concernant ces rues qu'on ne trouve pas sur la carte, comme la Bruton Street. Tout cela est créé dans la tête de Mrs. Dalloway et David Daiches a surtout voulu montrer que, si les personnages du roman sont définis à travers l'atmosphère de la ville, réciproquement, la ville elle-même est bien une sorte d'émanation des personnages.

David DAICHES : Vous le dîtes plus clairement que je ne l'ai fait moi-même.

Eddy TREVES : Cette méthode critique me semble très neuve et elle apporte une vision originale de Virginia Woolf à travers Londres.

Jean GUIGUET : Le petit livre de Dorothy Brewster, intitulé *Virginia Woolf's London* m'avait beaucoup déçu, car c'est une simple anthologie des textes de Virginia Woolf qui se rapportent à Londres, mais sans aucune idée directrice, sans aucun effort d'interprétation. Il en va tout autrement avec l'exposé de David Daiches.

Eddy TREVES : On y suit le cheminement de la pensée de Virginia Woolf.

Jean GUIGUET : Il s'agit bien, en effet, d'un cheminement et c'est à travers l'espace que nous avons rencontré Virginia Woolf alors qu'on la suit plutôt, en général, à travers le temps. Ce qu'il y a de remarquable dans *Mrs. Dalloway*, c'est une sorte d'imbrication entre l'itinéraire temporel et l'itinéraire spatial, qui ainsi se valorisent et s'éclairent l'un par l'autre.

Jean PAGE : Dans le texte de *The Years* que vous avez cité, il me semble que le signe qu'elle remarque, le cercle avec la ligne coupée, était un emblême fasciste de l'époque. Ce détail montre l'attention de Virginia Woolf à l'atmosphère sociale et politique.

David DAICHES : Merci de me signaler ce détail qui m'avait échappé.

Jean GUIGUET : Vous avez dit que Virginia Wollf n'évoquait jamais White Chapel. Il me semble pourtant que Flush est volé par des gens de ce quartier et qu'il faut aller le rechercher dans cette espèce de non man's land. Ce qui rejoint ce que vous avez si bien dit à propos de l'arrivée d'Elisabeth Dalloway aux limites du seul univers possible pour elle et pour les siens. Mais ce que nous aurions aimé vous entendre développer un peu plus, c'est le parallèle entre la mandoline de *The Waste Land* et les orgue de barbarie dans *Mrs. Dalloway*.

David DAICHES : Ce qui m'a mis en éveil, et m'a fait chercher, est la citation presque exacte tirée de *The*

Waste Land, quand la tante parle de la ville, de ses détritus flottant sur le fleuve. Je me suis rendu compte que Virginia Woolf confectionnait de toutes pièces un tableau en relief de Londres, la ville lui paraissant, pour un instant seulement, un *waste land* aux yeux d'une vieille dame qui a perdu ses illusions. En relisant ce passage dans cette perspective, je me suis rendu compte que les sons plaintifs de la musique de la rue, portant en eux une espèce de souvenir de beauté perdue, étaient à la fois toniques et attristants. Et c'est exactement l'effet que produit cette section de *The Waste Land,* où Eliot, notamment par sa façon de citer Baudelaire, tente d'évoquer les rapports entre la croissance de la cité et le développement de la sensibilité humaine. Et tel est précisément le thème de Virginia Woolf. T.S. Eliot et Virginia étaient très amis. Les Woolf, qui publièrent *The Waste Land* à la Hogarth Press en 1922, avaient été les premiers à lire un livre qui avait beaucoup impressionné Virginia. Il est très possible qu'elle ait eu comme une réminiscence de ce texte.

Jean GUIGUET : Un autre grand mérite de votre exposé est d'avoir souligné le contraste entre les paysages d'hiver et les paysages d'été. Il me semble certain que Virginia Woolf a une prédilection pour ces derniers ; ils correspondent à des moments d'exaltation, de découverte. C'est pourquoi l'on remarque d'autant plus les moments hivernaux comme la promenade de « Street Haunting » et, dans *Orlando,* le grand gel... Mais ce sont des moments exceptionnels pour Virginia Woolf ; ses livres vont plutôt vers l'été, le temps des vacances, de la liberté et de la libération. A cet égard, il faut se référer à l'essai qui s'intitule *The Moment, Summer's Night.* C'est là qu'on peut comprendre comment Virginia Woolf pense ou, plus exactement – il faudrait employer un mot double – comment tout à la fois elle sent et elle pense, car sa pensée est une pensée sensible comme sa sensibilité est une sensibilité pensante. L'essai que j'évoque se situe un soir d'été ; il commence de façon très concrète, comme une sorte de conte, mais il devient très vite une véritable réflexion philosphique.

David DAICHES : Le soir est toujours important.

Jean GUIGUET : Oui, avec de véritables constantes, les étourneaux qui sautent d'arbre en arbre, le héron qui traverse le ciel, les bruits lointains dans la campagne, une motocyclette ou un cri ; ensuite la nuit tombe, la porte qui s'était entr'ouverte sur quelque chose, sur la vérité, se referme et l'on retombe sur soi, sur sa solitude.

Sans doute vous pourriez appliquer à d'autres romans de Virginia Woolf la méthode d'analyse que vous avez utilisée à propos de *Mrs. Dalloway.*

David DAICHES : A *Jacob's Room,* certainement. A *The Years* peut-être, mais c'est tout en fait.

Jean GUIGUET : A un stade élémentaire qui, de ce fait même, pourrait donner un autre éclairage tout en risquant, je l'avoue, de succomber à un certain schématisme, il serait amusant d'analyser *Night and Day.* Là, les Hilberly habitent Chelsea et Ralph Denham Highgate. Leur point de rencontre doit se trouver autour de Holborn, si mes souvenirs sont exacts ; il y a échange constant, une sorte de va et vient, entre les personnages qui suivent des axes urbains fixes, presque rituels.

David DAICHES : C'est très intéressant, malheureusement je n'ai pas relu *Night and Day...*

Jean GUIGUET : Il me semble que de façon plus

grossière, avec des traits plus maladroits, on y trouverait l'ébauche de cette topographie psychologique que vous avez si bien bien évoquée à propos de *Mrs. Dalloway.*

David DAICHES : De façon générale, il me semble que nombreuses sont les œuvres dans lesquelles on trouverait une sorte de topographie morale. Si vous lisez *Guerre et Paix* de Tolstoï carte en main, vous découvrez que chaque lieu a sa moralité. La polarité de base s'exerce entre l'hypocrisie et l'artificiel de Saint-Pétersbourg et l'espèce de vérité ancestrale de Moscou ; et entre ces extrêmes géographiques et moraux, chaque lieu a sa propre qualité morale ; on pourrait presque le reporter sur un graphique. Chez Dickens, la géographie morale est d'une autre espèce. Dans *Our Mutual Friend,* par exemple, ou *Little Dorrit,* chaque rue a sa signification et les rues sans histoire sont, moralement, pires que les pires rues des quartiers de taudis qui gardent leur humanité en dépit de la pauvreté et de la souffrance. Ainsi Podsnap, ce personnage épouvantable de *Our Mutual Friend,* qui parle toujours des jeunes filles et qui n'en fera jamais rougir une seule. En revanche, chez les nouveaux riches d'une rue récemment construite où tout est neuf, on ne trouve ni humanité, ni personnalité.

Jean GUIGUET : On pourrait citer aussi Henry James, qui fait un usage très caractéristique de l'espace pour introduire des structures secondaires, et sur divers plans, à travers le roman. Chez Forster – qui fut justement l'ami de Virginia Woolf – on trouve quelque chose d'analogue, avec des sortes d'équilibres entre Londres et la campagne, entre l'Italie et l'Angleterre, l'Inde et l'Europe, etc. Mais l'erreur à ne pas commettre, c'est de croire que ces significations seraient constantes et figées. Un des poncifs de la critique jamesienne est d'affirmer que pour James l'Europe est la source de toutes les turpitudes, l'Amérique représentant la pureté ; en fait, lorsqu'on regarde les romans de près, on s'aperçoit que l'auteur présente des Européens vertueux et des Américains qui sont des canailles. Chez Balzac, il y aurait peut-être une répartition entre Paris et la province...

Auguste ANGLES : Je le vois plutôt dans le *Jean-Christophe* de Romain Rolland, où justement tous les héros sont à Paris.

David DAICHES : Chez beaucoup de romanciers, la ville est centre de corruption, c'est là que se gâte le jeune homme issu de sa province, lieu de pureté virginale. De fait, dans la littérature anglaise jusqu'à Jane Austen, la petite ville rurale est un foyer de vertu ; des gens comme les Crawford viennent de Londres et la grande ville les a corrompus...

IV. JOHN MAYNARD KEYNES, BIOGRAPHE

par David GARNETT

Plutarque aimait à comparer les sujets de ses vies : Romulus et Thésée, Annibal et Scipion l'Africain en sont des exemples. Mais comme il méprisait les arts et les tenait pour une occupation qui devrait être réservée aux esclaves, une comparaison de ces amis de longue date qu'étaient Maynard Keynes, Lytton Strachey et Virginia Woolf, ne l'aurait intéressé qu'en fonction de leurs activités politiques. C'est cependant en tant qu'écrivain et biographe qu'il est intéressant de les comparer, car dans cette branche fort difficile de la littérature, tous trois excellaient. Je ne désire pas classer ces amis selon un ordre de préséance, même si cela était possible; je voudrais plutôt évoquer leurs ressemblances et leurs différences afin de mieux apprécier la qualité particulière qui donne à chacun d'eux un ton caractéristique. C'était tous trois des écrivains, mais tandis que Lytton et Virginia étaient écrivains par profession, et rien d'autre, Maynard était pourvu d'une telle variété de talents qu'il ne se serait certainement pas présenté comme « auteur » sur son passeport; Lytton l'a probablement fait et je suppose que Virginia l'aurait fait si elle avait rempli elle-même le formulaire. Il se peut que Leonard eût mis : « épouse ».

Cependant, des trois, Maynard était de loin l'écrivain

le plus prolifique, comme s'est efforcée de le démontrer non sans quelque cruauté la Royal Economic Society. La majorité des vingt-cinq volumes sur lesquels s'amassera la poussière des bibliothèques du monde entier consiste soit en écrits éphémères, pamphlets et articles de journaux, soit en ouvrages scientifiques spécialisés, si tant est que l'économie politique ait rang de science.

Les trois amis n'auraient guère pu avoir des caractères plus différents. Lytton était un introverti continuellement occupé à s'analyser, qui jetant sur le passé un regard amusé et dubitatif, se livrait à de subtiles dépréciations et prenait vraiment plaisir à ruminer le souvenir de ses propres absurdités. Virginia aussi, malgré sa vanité, était capable d'apprécier le côté humoristique de ses propres « gaffes » en société, voire de s'en délecter, et prenait plaisir à se décrire dans des situations ridicules. Mais pas Maynard, un extraverti beaucoup moins vaniteux : il préférait ses triomphes à ses échecs. Il était par nature intensément « loyal », vouant à ses amis de jeunesse une affection qui ne se démentit jamais, manifestant également une loyauté envers les institutions établies à laquelle il n'eut jamais sérieusement la tentation de renoncer.

Lytton, en revanche, était un révolutionnaire dont la devise, ainsi qu'on l'a fait remarquer, était celle du merlan dans *Alice au pays des merveilles* : « Qu'importe la distance ? Plus on s'éloigne de l'Angleterre, plus on approche de la France ».

En 1918, Lytton fit entendre un son nouveau en restituant à la biographie ses lettres de noblesse, car elle était tombée au niveau de l'exercice de piété, laborieux pour l'auteur et ennuyeux pour le lecteur. Lytton changea l'angle sous lequel les Victoriens avaient été considérés. Que le docteur Arnold ait eu des jambes longues ou courtes, nous ne pouvons plus le savoir qu'en exhumant son squelette, mais après la publication de *Eminent*

Victorians, son fantôme ne put plus les utiliser pour chavaucher l'univers pédagogique. En effet, lorsque Lytton se mit à écrire sur les Victoriens, ceux-ci perdirent de leur stature; mais en rapetissant, ils s'animèrent et ils devinrent des êtres capables de susciter notre sympathie et notre pitié. Nous nous rendîmes compte que les figures de cire de Madame Tussaud avaient été jadis des personnages réels et du plus haut intérêt. Pour réussir cette transformation, Lytton ne se contenta pas d'observer ses spécimens par le petit bout de la lorgnette, mais il releva ces petits riens significatifs : la crasse dans les oreilles des cardinaux italiens ou – comme cela s'est avéré dans le cas de Gordon – les cognacs et sodas ingurgités de bon matin. Soit dit en passant, il est amusant de remarquer qu'un fait qui parut si scandaleux dans le cas de Gordon devait susciter l'admiration générale, vingt ans plus tard, à propos de Churchill, encore que ce dernier se soit passé de soda.

Cependant, en partie parce qu'il feignait le détachement, en partie parce qu'il avait de l'esprit, les jugements de Lytton donnent souvent l'impression d'être « orientés », comme les émissions pour l'étranger que diffusa la B. B. C. pendant la guerre. En insistant sur un point tout en effleurant à peine un autre aspect, ou même en le laissant délibérément de côté, Lytton faisait nettement figure de propagandiste. Il est fort dommage pour la littérature qu'il n'ait jamais réalisé le projet qu'il avait eu d'écrire les vies parallèles de ces grands Victoriens qu'il admirait de tout son cœur, comme Darwin, Faraday ou Lister. Un ouvrage de ce genre aurait ressemblé à celui de Maynard sur les fondateurs de l'économie politique à Cambridge – Malthus, Jevons, Marshall et Edgeworth – autant de personnages dont l'auteur admirait le caractère et dont il mit en lumière la contribution au développement des connaissances. C'est dans un autre esprit qu'il aurait écrit une *Vie de Marx* et un jugement sur le *Capital*.

Le meilleur de l'œuvre biographique de Virginia Woolf se trouve dans ses essais et ses courts portraits d'écrivains, dont la plupart ont paru dans des périodiques. C'était là l'opinion de Maynard; car lorsque j'entrepris de consacrer un article à l'œuvre littéraire de Virginia Woolf, il me conseilla vivement de lire ces essais biographiques. J'y verrais, me dit-il, avec quelle virtuosité et quel « métier » elle savait adapter son style à son sujet. Dans la plus longue de ses biographies, celle de Roger Fry, beaucoup d'omissions se justifient par le respect de Virginia pour les sentiments personnels des sœurs de Roger et aussi de sa propre sœur que Roger avait aimée. Mais dans ses courts essais, elle est étincelante, s'identifiant souvent à son sujet par une sorte de sympathie, un amour de la vie, beaucoup d'humour et d'intelligence, de sorte que le lecteur a l'impression d'avoir été lui-même en contact direct avec le personnage en question. Et il lui faut quelque temps pour se demander si Virginia ne lui en a pas fait accroire. Jouait-elle à faire semblant, endossait-elle un déguisement, devenait-elle ce Jack Mytton qui chasse le canard au clair de lune, dans la neige, vêtu de sa seule chemise de nuit, ou Laetitia Pilkington, la naine qui amusait Swift lorsqu'elle était enfant et qui, dans les situations difficiles, resta toujours une grande dame ? Par moments il me semble déceler, dans l'un des portraits de Maynard, cet amour de Virginia pour le grotesque.

Prenez Henri Higgs : « Tout à fait sourd et incapable d'entendre les commentaires des autres personnes présentes, auxquels il ne semblait porter aucun intérêt, il poursuivait son argumentation en véritable soliste, souvent sur un tout autre article de l'ordre du jour que celui qui était en discussion; le seul président, à ma connaissance, qui fût capable de l'arrêter était Edwin Cannan, qui d'ordinaire le prenait presque à la gorge, lui criait dans l'oreille que nous ne discutions pas de ce sujet et lui mettait la main sur la bouche jusqu'à ce qu'il consentît à se taire. Dans d'autres occasions, lorsque Higgs s'intéressait davantage à la discussion, il approchait de l'orateur, quel qu'il fût, son appareil électrique au fonctionnement très capricieux, qui aussitôt produisait un tel orage qu'on ne pouvait plus rien entendre ».

On m'a dit que Lytton persuada Maynard de conserver une phrase qu'il avait l'intention de supprimer et où il prétendait que les mains du président Wilson manquaient de sensibilité et de finesse. Entre parenthèses, cette phrase nous renseigne presque autant sur Maynard que sur le président Wilson. Il me semble qu'en comparant le portrait de Gladstone par Lytton à celui de Lloyd George par Maynard, qui a été écrit deux ou trois ans plus tard, on aperçoit l'influence du premier sur le second. Tous deux peignaient le caractère complexe d'un premier ministre, mais l'avantage de Maynard était de décrire un modèle vivant.

Lytton écrit :

Dans le monde physique, il n'y a pas de chimères. Mais l'homme est plus divers que la nature; peut-être Mr Gladstone était-il une chimère, celle de l'esprit. Sa véritable essence était-elle la fusion d'éléments incompatibles ? Sa véritable essence échappe à la main qui semble la saisir. On est déconcerté comme le furent ses adversaires, il y a cinquante ans. Les souples anneaux du serpent durcissent, deviennent force et rapidité, soudain disparues pour ne laisser derrière elles que vide et perplexité. Le discours était la fibre de son être et, lorsqu'il parlait, l'ambiguité de l'ambiguité apparaissait. [...] Mais là aussi il y avait contradiction. Malgré les contorsions de son esprit tortueux, il est impossible de ne pas détecter dans Mr Gladstone une veine de naïveté. Son égoïsme même était naïf : à travers tout le labyrinthe de ses passions courait un fil unique. Mais le centre du labyrinthe ? Ah, à travers ce sinueux dédale, le fil peut-être y conduirait finalement. Mais, après le dernier tournant, le dernier pas franchi, l'explorateur découvrirait peut-être que son regard plongeait dans le gouffre d'un cratère. Les flammes jaillissaient de tous côtés, brûlantes et éblouissantes, mais au milieu de ces flammes régnait une zone obscure.

Et voici Maynard sur Lloyd George :

Comment puis-je donner au lecteur qui ne le connait pas la moindre idée exacte de cette extraordinaire figure de notre époque ? De cette sirène, de ce barde faunesque, de ce visiteur à demi-humain venu dans notre siècle du fond des forêts enchantées, pleines de sorcières et de sortilèges, de l'antiquité celte ? On éprouve, en sa compagnie, cette impression d'un manque de finalité et de responsabilité intérieure, d'une existence située hors et au-delà des notions anglo-saxonnes du bien et du mal, mêlées de ruse, d'implacabilité et d'amour du pouvoir, grâce à quoi les magiciens du folklore nordique, de si honnête apparence, peuvent fasciner, captiver et terroriser. [...] Lloyd George n'est enraciné nulle part; il est vide, sans contenu; il vit dans son environnement immédiat et s'en nourrit; il est en même temps l'instrument et le musicien qui, en jouant, fait vibrer l'auditoire et vibre aussi en retour; c'est un prisme, comme je l'ai entendu dire, qui recueille la lumière et la déforme, et qui brille avec le maximum d'éclat lorsque la lumière vient de plusieurs endroits à la fois; c'est un vampire et un médium tout ensemble.

Je ne pense pas que Maynard aurait écrit ces lignes de cette manière s'il avait lu *Eminent Victorians.* Mais comme Maynard est meilleur ! Lytton évoque une main incapable de saisir une essence, image assez incohérente pour nous faire comprendre toutes les contradictions de Gladstone. On ne peut guère douter pourtant que Lytton eut sur Maynard une influence bénéfique. C'est lui qui l'incita à sortir de sa réserve naturelle pour oser publier ce qui, sans cela, serait resté au niveau de la conversation. Dans les pages les mieux écrites de Maynard, on trouve ce qui manque à Lytton, même au meilleur de sa forme : la qualité du regard. Maynard avait l'énorme avantage de parler de ce qu'il avait vu lui-même, de ses beaux yeux bleus profonds auxquels n'échappait aucun détail. D'un bout à l'autre de ses *Essays in Biography*, on trouve des phrases montrant de quelle manière son regard s'est accroché à l'élément significatif; là tout est dit en quelques mots. Exemple : « Charlie Chaplin avec le front de Shakespeare, voilà la meilleure description d'Einstein ». Ou encore le portrait de Clémenceau dans *The Council of Four*, œuvre d'un homme qui a observé vivant avec des yeux capables de saisir le détail significatif.

Certes Maynard avait rencontré la plupart de ses modèles et leur avait parlé, mais cet avantage eût été peu de chose sans l'acuité de son sens visuel. Il s'intéressait plus à la peinture que Lytton et il apprit plus de choses de Duncan Grant et Vanessa Bell que Lytton n'en apprit jamais de Carrington. Le Clémenceau de Maynard a la consistance d'un portrait par Ingres. Assis dans sa chaise recouverte de brocart, ganté, vêtu de son costume noir en bon drap épais et à basques carrées, il est là qui écoute, fatigué et patient, les tartuferies anglo-saxonnes : « Ses bottines étaient en cuir noir, épais, de très bonne qualité, mais de style campagnard et parfois curieusement fermées sur le devant par une boucle au lieu de lacets ».

Et pour rester les pieds sur terre, voici une phrase,

combien significative, extraite de la charmante et affectueuse description qu'il nous donne de Mary Paley Marshall :

Chaque matin, jusqu'à ce qu'elle atteignît presque ses quatre-vingt-dix ans et qu'alors son médecin, à son extrême mécontentement, le lui interdît (en partie à l'instigation de ses amis, mais surtout à cause des dangers de la circulation à Cambridge, même pour les personnes les plus alertes, plutôt qu'à la suite d'une quelconque diminution de ses capacités physiques), elle parcourut à bicyclette la distance considérable qui sépare Madingley Road de la Bibliothèque [...], portant, comme elle l'avait toujours fait, les sandales qui étaient une survivance de sa période pré-raphaélite, soixante ans plus tôt.

Comme Lytton, c'est lorsqu'il est le plus spirituel que Maynard est le plus profond. Ecoutons-le, par exemple, décrire sa visite au général Haking, de la Commission de l'Armistice, qui s'était installé avec sa femme et ses deux filles, en âge d'être mariées, dans l'ancienne villa de Ludendorff, au milieu d'un demi-cercle de pins. Dans ce décor wagnérien, l'aide de camp du général et les autres officiers subalternes avaient introduit une meute de chiens; le « Times » arrivait régulièrement sur la table du petit déjeuner. Mais pour Maynard, le fantôme de Ludendorff hantait les lieux : il l'imaginait – personnage d'opéra – débouclant sa cuirasse et lançant des appels aux pins qui soupiraient. Et d'ajouter : « Miss Bates avait vaincu Brunehilde et le pied de Mr Weston était solidement planté sur le cou de Wotan ».

Cette plaisanterie, dont on pourrait tirer une amusante opérette, est tout simplement un trait de génie. Elle symbolise et mesure le gouffre infranchissable qui sépare l'Angleterre de l'Allemagne et empêche presque totalement les deux pays de se comprendre.

Plus tard, dans *Mr Melchior*, Maynard reprend le même thème lorsqu'à propos d'une conférence présidée par l'amiral Sir Rosslyn Wemyss, il décrit les gros yeux ronds de l'amiral qui ressemblent à ceux d'un marsouin en proie au mal de mer. Et il montre les Allemands stupéfiés par :

un abandon total de tout pour donner l'impression de savoir de quoi l'on parlait dans cette conférence, joint à une suprême maîtrise de soi et à une supériorité sociale pour ainsi dire inattaquable qui le faisaient ressembler à une duchesse bienveillante et pleine d'humour présidant à la gestion des affaires financières d'une association paroissiale de bienfaisance, ce qui, en quelque sorte, les fit paraître, eux, les Allemands si sérieux et si ridiculement solennels, un peu absurdes.

Melchior : A Defeated Enemy est ce que Maynard a écrit de mieux. Il s'y mêle un profond sentiment personnel, une passion pour la justice et l'humanité, une compréhension de tous les fils embrouillés des négociations de l'esprit et une observation presque anormale du détail minuscule mais très significatif. Le livre est si vrai, si profondément émouvant que je ne le comparerais à aucun autre ouvrage historique que je connaisse, mais à un chapitre de quelque grande œuvre d'imagination – de Tolstoï peut-être. C'est une grande œuvre d'art. Sa supériorité sur les autres écrits de Maynard tient sans doute à ce qu'il fut rédigé pour être lu dans un petit groupe de vieux amis auxquels l'auteur pouvait ne rien cacher de sa nature.

Maynard lui-même aurait déploré que je ne fisse aucune mention de sa maîtrise du détail historique et du soin avec lequel il poussait son enquête pour rendre compte des caractères à partir de l'hérédité et de l'environnement; de façon méticuleuse, il situait chacun de ses personnages dans son exacte perspective sociale et intellectuelle. En conclusion, je dirais que sa grandeur en tant qu'écrivain ne tient pas seulement à son esprit universel et à son intelligence supérieure. C'est aussi une grandeur morale.

Très tôt, il prit conscience de ce que signifiait le traité de Versailles. Outré dans son sens de l'honneur, mais aussi des valeurs humaines et du possible, il donna sa démission et écrivit *The Economic Consequences of the Peace*. En agissant de la sorte, il devint une force morale. Il le devint grâce à son intelligence et à sa clairvoyance, mais aussi grâce à l'éthique de ce Cambridge dans lequel il avait grandi et grâce à l'influence des amis qu'il aimait, dont il respectait les jugements et partageait le refus fondamental des valeurs de notre société. C'est parce qu'il n'a pas trahi leurs valeurs et les siennes qu'il a pu poursuivre sa tâche et exercer une influence toujours grandissante[1].

1. Cet exposé, écrit en anglais, a été présenté à Cerisy dans une traduction de Laure Villiermet.

DISCUSSION

Jean GUICUET : Ce texte de David Garnett complète utilement la galerie de portraits présentée depuis le début de cette rencontre; son intérêt réside dans la comparaison entre Lytton Strachey et Maynard Keynes, et peut-être plus encore dans une comparaison qui s'établit à l'arrière plan entre Maynard et Virginia. L'un et l'autre, en effet, peuvent être, je crois, qualifiés de « baroques ». Les passages que vous avez entendus de Maynard sont de la même veine que beaucoup de pages d'*Orlando*. Quand nous pourrons lire le *Journal* dans son intégrité, je suis sûr qu'on y trouvera beaucoup de portraits et d'esquisses qui seront un peu de la même encre. Dans les rares moments oùVirginia se laissait aller à la raillerie, elle pouvait écrire des choses aussi mordantes, fantaisistes, bizarres et tarabiscotées.

Margaret WILSON : J'ai rencontré un jeune étudiant à Cambridge qui avait assisté à des conférences de Maynard Keynes, lorsqu'il élaborait sa théorie du plein emploi et de l'expansion économique. C'était difficile à comprendre parce que très mathématique, mais en même temps c'était très stimulant. Keynes était un maître merveilleux et tous ses étudiants étaient enthousiastes à la possibilité de pouvoir travailler avec lui, même si ce qu'il disait passait au-dessus de leur tête. Plus tard, lorsque j'étais secrétaire à la Royal Economic Society, j'eus affaire à lui comme directeur des publications; là encore il nous dépassait de cent coudées, mais sa présence était très stimulante. Bien plus tard, feu mon mari qui était directeur de la musique au Conseil des Arts fut en relation étroite avec Keynes, qui présidait ce Conseil. C'était un merveilleux mécène plein de sympathie humaine. Lors de la fondation de l'Arts Council, à la fin de la guerre, il déclara à la radio : « Que ce message se répande partout, que dans ses coins les plus reculés toute l'Angleterre soit dans la joie ». C'était quelque chose de si différent du professeur que nous avions connu que nous fûmes remplis d'enthousiasme. Il m'a été donné de pouvoir lire tous les papiers de Keynes relatifs à la fondation du Conseil des Arts; on y voit combien il a contribué à démolir les idées de Roger Fry sur le philistinisme des Britanniques, et à faire de Londres la capitale musicale du monde. Qu'il appartînt à Bloomsbury ou non est de peu d'importance. Indépendamment de ce qu'il a pu faire dans le domaine de la science économique, sa contribution à la renaissance artistique, à la renaissance des valeurs esthétiques en Angleterre, son rayonnement en tant qu'humaniste et libéral, ont, je pense, apporté beaucoup non seulement à la Grande Bretagne mais au monde.

Une autre chose que j'aimerais dire de Maynard Keynes est son très grand sens de l'humour. Un économiste, un jour, lui dit : « Pourquoi parlez-vous toujours de court terme et jamais de long terme ? ». Il répondit : « A long terme, nous serons tous morts ».

Jean GUIGUET : Ce « sense of humour » était déjà apparent, je crois, dans les passages cités par David Garnett.

Auguste ANGLES : En quoi Keynes peut-il être dit « de Bloomsbury » ?

Jean GUIGUET : Tout simplement, je crois, parce qu'il était un ami des Woolf, qu'il avait connu Thoby à l'université et que leur amitié a duré toute leur vie. Il appartient donc au groupe de Bloomsbury si l'on admet la définition de Clive Bell, reprise par Quentin Bell, « un groupe d'amis ». Y a-t-il d'autres relations, d'ordre idéologique, entre les théories économiques de Keynes et les théories littéraires de ses amis ? Roland Barthes en trouverait peut-être, mais, sur ce terrain, je suis tout à fait incompétent.

Maurice de GANDILLAC : Il serait assez difficile, je crois, d'établir ces relations sur le terrain de la théorie économique, mais à propos des portraits dont David Garnett nous a donné quelques extraits significatifs, vous avez lancé le qualificatif de « baroque ». N'y aurait-il pas là une caractéristique littéraire à préciser et qui constituerait alors le lien – au-delà de l'amitié – entre Maynard Keynes et Bloomsbury ?

Jean GUIGUET : J'ai employé ici le mot « baroque » dans un sens fort vulgaire, sans me référer à la signification précise qu'a cette notion pour les historiens de l'art ou les esthéticiens. Le « baroque » auquel j'ai pensé se caractérise par une sorte d'incohérence, par des images qui semblent ne pas tenir ensemble. Seriez-vous d'accord sur cette définition ?

Maurice de GANDILLAC : Elle correspond à l'une des étymologies possibles du mot, le *barocco* portugais désignant une perle mal taillée, mais ce n'est pas tout à fait ce qu'on entend lorsqu'on parle d'architecture, de peinture ou de littérature baroques.

Jean GUIGUET : J'ai simplement voulu dire que, si l'on compare les portraits de Maynard avec ceux de Lytton avec lesquels Garnett les comparait, ces derniers présentaient plus d'unité d'imagination, de style et même de rythme. Il m'a paru que, dans ceux de Maynard, certains morceaux s'en allaient dans tous les sens, un membre de phrase de trois mots se trouvant en équilibre avec un autre de quinze. Au lieu de « baroque », on pourrait dire « excentrique », en ce sens que certaines choses se détachaient du centre. Y aurait-il là une caractéristique applicable à tout le groupe ? Il me serait difficile de répondre. La production « publique » de Virginia Woolf, c'est à dire ses romans et ses essais, présente peut-être cette qualité, mais tellement maîtrisée que je ne parlerais pas d'excentricité proprement dite. On sent une fantaisie toujours sous pression, mais tout est maintenu dans certaines limites par un sens de la mesure, un sens de l'ordre – je me ferais assassiner par Virginia si elle m'entendait – par une sorte de retenue victorienne, qu'on pourrait aussi qualifier de « stephenienne », venant de Leslie Stephen, du XVIIIème siècle raisonnable. Mais je crois que cet esprit décentré ou excentrique se retrouvera dans le *Journal*, là ou vraiment elle laisse les choses courir bride abattue. Ce n'étaient pas là des choses qu'on pût montrer à tout le monde. Elle les réservait à un usage privé, familial, ou pour les amis peut-être, ceux du groupe. Ainsi, il paraît qu'à Noël, dans certaines fêtes de famille, souvent organisées, orchestrées par Virginia elle-même, régnait une fantaisie débridée. Il y a eu aussi le fameux canular du faux télégramme annonçant que l'empereur d'Abyssinie et sa suite seraient reçus à bord du contre-torpilleur le « Dread– nought », en rade de Weymouth, par le vice-amiral Sir W. May et ses officiers. En fait Antony Buxton était l'empereur, escorté de Guy Ridley, Duncan Grant, Virginia et Adrian Stephen – ce dernier faisant fonction d'interprète – tous dûment barbouillés de noir, portant turbans et houppelandes pseudo africaines. Excepté l'interprète, ils se gardèrent bien de dire un seul mot d'anglais. Adrian fit passer pour de l'éthiopien quelques mots de swahili et beaucoup de latin défiguré... La visite se déroula sans incident; tous les mystificateurs étaient ravis et pensaient que la plaisanterie en resterait là, mais Horace Cole, spécialiste de ce genre de farce, informa la presse : ce fut un beau scandale ! Le Ministère de la Marine menaça d'intenter un procès à ces garnements qui s'étaient moqués de la Marine de Sa Majesté. L'incident fut même évoqué à la Chambre des Communes !

Raïssa TARR : Sans réduire, bien entendu, le problème à celui des canulars, ne pourrait-on dire que l'unité du groupe était son opposition commune à certaines valeurs ou à certaines institutions ?

Jean GUIGUET : Sans doute, mais je renverserais presque la formule. Je dirais que le groupe se définit moins par les personnes ou les choses contre lesquelles il s'est dressé que par le fait que ceux qui, du dehors, ont pris position contre un membre quelconque du groupe, ont en quelque sorte créé le groupe pour s'attaquer à lui. Vous aviez un certain nombre d'individus respectables, par exemple Leavis, Wyndham Lewis, Swinnerton (ce sont les trois que je connaisse un peu, c'est pourquoi je les cite), qui trouvaient, d'une part, que Virginia Woolf était une très mauvaise romancière, d'autre part, que l'homosexuel Lytton Strachey était un biographe de mauvaise qualité. Je ne sais pas s'ils s'en prenaient aussi à l'économie keynesienne; ces critiques ont lancé contre Virginia et Lytton de violentes attaques personnelles dans des compte-rendus d'ouvrages, dans des articles de revues et, par là, s'est constituée pour eux cette notion d'un groupe formant à leurs yeux comme une société d'adulation mutuelle. Ce qui a favorisé, je crois, la formation de cette sorte de mythe, c'est que les membres de Bloomsbury avaient eux-mêmes fourni l'étiquette.

Eddy TREVES : C'est donc que le groupe existait en fait.

Jean GUIGUET : Son existence sociologique est indéniable. On peut définir le groupe à travers des conflits entre tendances littéraires, morales, politiques, philosophiques. A cet égard, on ne manque pas de documents, qui sont des textes écrits par les membres ou les défenseurs de Bloomsbury ou par leurs détracteurs. Cela dit, si je considère les romans de Virginia Woolf, les biographies de Lytton Strachey, celles de Mac Carthy, et qu'avec cela j'essaye de définir une tendance littéraire ou une théorie littéraire qu'on pourrait étiqueter « Bloomsbury », je m'en déclare tout à fait incapable. Cela tient peut-être à ce que je refuse de quitter le terrain purement littéraire. Ce qui complique encore l'histoire, c'est que de ce Bloomsbury on fait un bloc, en l'étendant sur une période d'ailleurs très indéterminée, car on parle aussi bien du groupe en 1904 qu'en 1940. A l'origine, je vois quelques jeunes gens de Cambridge qui se sont connus à l'Université; à ce moment-là Bloomsbury n'était rien d'autre pour eux qu'un quartier de Londres où ils ne se doutaient même pas qu'ils habiteraient un jour. A la mort de Leslie, les jeunes Stephen sont venus s'installer à Bloomsbury, où ils ont reçu quelques uns de leurs anciens condisciples. Entre 1904 et 1914, on peut parler d'un groupe d'amis qui se rencontrent régulièrement; comme tous les jeunes gens de tous les pays et de tous les temps, ils discutent du sens de la vie, des structures politiques dans lesquelles ils vivent; ils imaginent ce que le monde pourrait être. C'est bien ce que nous faisions en Khâgne, Anglès et moi, et à ce titre on pourrait parler de milliers de « groupes » à travers le monde. Vous objecterez qu'Anglès et moi n'avons pas écrit *la Promenade au phare* et *les Eminents Victoriens.* A quoi justement je réponds que les deux ouvrages n'ont aucune caractéristique commune. Le jour où quelqu'un me présentera une théorie littéraire philosophique ou éthique qui rassemble de façon cohérente tous les membres dits de Bloomsbury, alors seulement je ferai amende honorable.

Auguste ANGLES : Admettons que tous les groupes puissent donner lieu à l'analyse que tu as esquissée, mais tu as convenu toi-même que le regard d'autrui est bien constitutif d'une certaine unité. Autrui peut se tromper, mais il a un point de vue et, par là, il définit un objet réel. C'est ce que Malraux veut dire lorsqu'il déclare : « Le poisson qui est dans l'aquarium ne sait pas qu'il est dans l'aquarium ». C'est pourquoi il serait intéressant d'étudier les adversaires du groupe et le regard qu'ils ont porté sur lui du dehors.

Jean GUIGUET : L'existence que tu évoques n'est pas celle de la chose mais seulement celle du regard. Effectivement, Bloomsbury n'a d'existence que projetée sur le groupe par ses adversaires. Et je conviens qu'il y aurait à entreprendre toute une étude, à la fois sociologique et littéraire, pour voir comment les détracteurs de Bloomsbury ont peu à peu constitué ce fantasme littéraire.

Maurice de GANDILLAC : Mais alors vous ne considérez que le regardant, non l'action du regard. Lorsque Sartre nous dit que les juifs n'existent que par le regard des antisémites, il n'oublie pas l'effet constituant et déterminant de cet antisémitisme sur la réalité même du juif.

Jean GUIGUET : Pour reprendre l'image de l'aquarium, disons que le poisson prend conscience d'être regardé. C'est ce qui est arrivé au groupe de Bloomsbury. En se sentant critiqué, il a pris conscience de ce qu'il était. Ainsi chez Virginia Woolf – je ne sais pas s'il en va de même pour les autres – je discerne à partir de 1925-1927 une sorte de conscience bloomsburyte qui répond à l'attaque de ses adversaires et qui la modifie elle-même, lui donne un mélange de timidité et d'agressivité, par lequel Bloomsbury est en train de naître; ou du moins un *ghost* de Bloomsbury, car justement les relations entre les membres du groupe se sont relâchées, l'effervescence intellectuelle de la jeunesse s'est dispersée dans le développement intellectuel de chacun des membres, chacun allant dans sa direction; mais le nouveau est la conscience d'être quelqu'un qui est créé par les autres, qui accepte cette existence et essaye de l'assumer.

Auguste ANGLES : C'est le cas de beaucoup de groupes. S'il y a eu, dans l'histoire de la littérature française, quelques exemples de groupes vraiment constitués, comme les surréalistes, le plus souvent les étiquettes qu'on trouve dans les manuels désignent des groupes qui n'avaient qu'une consistance très vague, et qui se sont surtout affirmés par les attaques de leurs adversaires. Parmi les ennemis de Bloomsbury, vous avez cité Leavis. N'était-ce pas cet homme qui portait des cols sans cravate ?

Jean GUIGUET : Je ne l'ai jamais rencontré, mais je sais que sa femme lui sert de garde du corps.

Auguste ANGLES : N'est-ce pas lui qui a proclamé l'existence de valeurs morales en littérature ? Non ? Enfin je caricature. Je le vois très bien : il descendait tout droit des puritains de Cromwell. Au point de dépouiller son élocution de tout charme et de lire d'un ton si monocorde qu'on s'endormait au bout de cinq minutes. Par opposition, Bloomsbury représente le charme.

Raïssa TARR : Est-il question du groupe dans les manuels d'histoire de la littérature anglaise ?

Jean GUIGUET : Certes, mais on n'en parle pas toujours avec beaucoup de précision ni d'exactitude.

Auguste ANGLES : Les portraits qu'on a lus m'ont surtout frappé – je l'avoue – par leur « englishness ».

Jean GUIGUET : Des textes de ce genre ne sont pas très significatifs, leur intérêt était surtout de nous faire connaître un autre personnage que Virginia, qui nous a surtout occupés jusqu'ici.

Auguste ANGLES : Ce personnage aux multiples facettes est en lui-même curieux, et on pourrait pour cela le qualifier de baroque : patron des arts, époux d'une danseuse, économiste, sinon homme politique, du moins ayant dit son mot sur les conséquences économiques de la paix et qui a fait date, puisque ce fut l'occasion en France du livre de Jacques Bainville, *les Conséquences politiques de la paix*. Mais aussi, dit-on, joueur en bourse et fondateur d'une maison de commerce. Quelqu'un de très divers et qui déconcertait par ses apparences d'amateurisme, de désinvolture.

Jean GUIGUET : Ces apparences appartenaient peut-être à l'esprit de Bloomsbury. Virginia Woolf se considérait comme *outsider*, le terme revient à plusieurs reprises dans le *Journal*. Refus du collet monté, appel à un certain humour, tout cela ne vas pas, il est vrai, sans quelque affectation. A considérer la façon dont Virginia travaillait ses livres, il est difficile de lui accoler l'étiquette d'amateur, mais une certaine forme de détachement pourrait être un point commun entre les différents membres du groupe.

Jean GUIGUET : L'idéal du gentleman, capable de tout faire très bien, mais sans en avoir l'air.

Viviane FORRESTER : J'avais écrit au professeur Leavis, espérant qu'il pourrait engager ici une sorte de discussion entre lui et Quentin Bell. Il m'a répondu qu'il avait « nothing recordable to say about V. Woolf ». J'ai vu là le signe que son hostilité n'avait pas désarmé.

Jean GUIGUET : A l'arrière-plan de ces attitudes, il y a certainement une position à la fois politique et éthique. J'avais aussi songé à inviter Leavis. J'en avais parlé à David Daiches qui m'a très aimablement fourni un éventail de positions diverses, me laissant en quelque sorte le choix de notre adversaire. Prudemment, j'ai choisi le moins dangereux et c'est M. Inglis, l'un de ses collègues de la Sussex University, qui représentera ici l'anti-bloomsburisme.

V. VIRGINIA WOOLF ET LYTTON STRACHEY

par Gabriel MERLE

Si Lytton Strachey est le seul des amis de Virginia Woolf à figurer nommément dans le titre d'une causerie, lors d'un colloque à elle consacré, c'est que les relations entre eux furent plus étroites et plus personnelles que celles de Virginia Woolf avec des écrivains comme Desmond Mac Carthy ou John Maynard Keynes, ou même comme E. M. Forster. Littéraires, sans doute, mais non pas seulement littéraires et non pas d'abord littéraires, les relations personnelles entre Virginia Woolf et Lytton Strachey mériteraient une étude qui dépasse notre projet actuel. Je me contenterai aujourd'hui d'en marquer les grandes étapes, sans remonter à la génération précédente, ce qui serait cependant possible, car les Stephen et les Strachey se connaissaient depuis très longtemps.

La première étape se situe en 1904, après la mort de Sir Leslie. Les enfants Stephen quittent l'appartement de Hyde Park Gate et vont s'établir à Bloomsbury, 46 Gordon Square, dans ce quartier qu'ils allaient, avec quelques autres, rendre célèbre. A ce moment-là, Lytton a 24 ans et Virginia 22. Quelques semaines ou quelques mois plus tard, Thoby, l'aîné, décide de recevoir le mardi soir, reconstituant ainsi la *Midnight Society* qu'il avait fondée justement avec Lytton Strachey, Leonard

Woolf, Sydney Saxon Turner, Clive Bell et un autre qui ne revint pas à Bloomsbury. Dans ces réunions, Lytton parle peu et Virginia moins encore, mais elle écoute. Elle éprouve assez rapidement de l'admiration pour le brillant de Lytton Strachey, qui arrive de Cambridge, alors qu'elle-même n'a pas fréquenté l'université; elle éprouve en même temps un peu d'effroi parce que son ironie est très mordante, et son admiration ne va pas sans réserves, car c'est l'année où ces jeunes gens ont publié un recueil de poèmes, *Euphrosyne*, qu'elle trouve particulièrement mauvais. De son côté, Lytton se plaît en la compagnie de ces jeunes filles, ce qui peut paraître paradoxal de la part d'un homosexuel militant, mais Lytton était le paradoxe incarné. Ainsi, pendant un an ou dix-huit mois, il s'agit de bons rapports, sans plus.

La deuxième étape se situe à la fin de 1906, lorsque Thoby meurt de la thypoïde. Cette mort prématurée affecte beaucoup Lytton Strachey et c'est alors qu'il donne la mesure de ce qu'on peut appeler sa psychologie. Il sent immédiatement qu'il faut, d'une façon ou d'une autre, combler le vide terrible qui vient de se créer dans la maison Stephen. Dès la première fois où il revient à Gordon Square, il propose qu'on s'appelle par ses prénoms (jusqu'alors on se disait très cérémonieusement « Miss Stephen » et « Mr. Strachey »). Ce fut là, je crois, une très sage décision pour resserrer en quelque sorte le milieu familial après la disparition de Thoby qui avait si fort éprouvé les deux sœurs, et qui allait déterminer bientôt Vanessa à épouser Clive Bell qu'elle avait naguère repoussé. Une des conséquences de ce mariage est le départ de Virginia et de son cadet, Adrian, qui vont aller vivre à Fitzroy Square. La présence d'Adrian ne semble pas avoir été, pour Virginia, une véritable compensation; elle s'est certainement trouvée un peu solitaire. Vanessa songe à marier sa sœur. Nous sommes en 1907; Virginia a 25 ans et elle ne veut pas entendre parler de mariage. Evoquant les sollicitations de Vanessa, elle écrit à Violet Dickinson : « C'est répugnant ! ».

Mais dès l'année suivante, elle subit une évolution psychologique que signale Quentin Bell et qu'atteste aussi la correspondance. Or, à cet égard, le rôle que joue Lytton Strachey est très important. Il se rend compte que ces jeunes filles, purs produits du victorianisme, sont victimes d'un certain nombre de tabous. Son premier objectif est de faire sauter les verrous du puritanisme. Il agit pour cela de façon très habile, et d'autant plus librement que ses goûts semblent le rendre peu suspect d'ambitions matrimoniales. Il commence par faire lire à ses amies et à leur faire jouer des pièces de la Restauration, comme *The Ralapse* de Vanbrugh, des pièces un peu osées, ou qui du moins peuvent paraître telles aux filles de Sir Leslie. Après avoir ainsi débloqué un peu la situation, il passe à l'attaque brutale. Un beau jour de 1908, Lytton entre au salon où se trouvent les deux sœurs. Avisant une tache sur la robe blanche de Vanessa, il la désigne du doigt et demande, d'un seul mot, « Sperme » ? C'est Virginia elle-même qui raconte la scène; après une seconde d'hésitation, sa sœur et elle éclatent de rire. Je cite Virginia :

A ce seul mot, toutes les réticences et toute la réserve s'écroulèrent. Un flot de ce liquide sacré sembla nous submerger. La sexualité imbibait notre conversation. Le mot pédéraste n'était jamais loin de nos lèvres. Nous discutions de coït avec la même ardeur et la même franchise que si nous avions discuté de la nature du bien.

« De la nature du bien », c'est à dire de l'essentiel de la philosophie de Moore qui, comme on le sait, était la bible philosophique de ces jeunes gens. Virginia conclut :

« C'est étrange de penser à quel point nous avions été réticentes et réservées, et pendant si longtemps ». A partir de ce jour, il est certain que des barrières avaient sauté de façon définitive. Lorsque plus tard, jeune mariée, Mrs Woolf écrivit à Lytton un certain nombre de choses qui peuvent paraître choquantes, il y avait plusieurs années déjà qu'ils en étaient à ce ton de conversation.

D'autre part, après être passée, à l'égard de Strachey, par une série de sentiments, admiration, effroi, réserve, Virginia estime de plus en plus cette longue aragne. D'abord Lytton commence à s'affirmer comme écrivain. Il collabore chaque semaine au *Spectator*; cette année-là, il écrit une cinquantaine d'articles, qui sont le plus souvent des compte-rendus, mais qu'il élève parfois, par son jeune talent, à la dignité de véritables articles. Virginia apprécie son courage, son honnêteté intellectuelle, bref elle le trouve respectable. Cet adjectif a l'air d'un paradoxe; Lytton vomissait la respectabilité au sens victorien du terme, mais Virginia comprenait bien que, pour lui, la morale était moins un code social qu'une exigence personnelle, intellectuelle et, en fin de compte, morale. D'autre part, l'insistance de Vanessa la met en quelque sorte en condition, et le ménage Bell crée une sorte d'atmosphère matrimoniale autour d'elle. Lorsque, le 17 février 1909, Lytton la demande en mariage, elle répond oui, et c'est l'étape suivante.

Il faut s'arrêter à cette demande en mariage, qui est déjà par elle-même assez extraordinaire car si Virginia était une jeune fille, Lytton avait eu des expériences amoureuses nombreuses, et toutes masculines. Mais il y a plus. A peine a-t-elle accepté que lui-même s'aperçoit que décidément ce projet ne convient guère. Il retire sa demande; de nouveau, elle est d'accord et on en reste là. Je pense que l'attitude de Virginia s'explique assez facilement, car ce n'est pas elle qui a fait les premiers pas et sa réponse est en fin de compte ce que j'appellerai une parole captive. A la demande de Lytton, elle ne pouvait répondre que d'un mot, oui ou non, et finalement cela a pesé un peu dans le sens du oui. Comme je l'ai dit, elle se sentait un peu seule à Fitzroy Square, elle subissait l'influence des Bell, elle avait évolué physiquement; manifestement, un homme l'effrayait moins. Le cas de Lytton est un peu plus difficile à comprendre. Lui qui n'était pas seulement d'une remarquable intelligence, mais qui avait beaucoup de caractère et, comme on l'a dit à sa mort, dominait considérablement sa vie, il semble qu'il se soit trouvé alors dans une phase où il ne la dominait pas tout à fait.

Son biographe Michael Holroyd montre bien qu'il était las de vivre avec sa mère, qu'il voulait quitter Hampstead. Ce n'est pas niable, mais l'explication me paraît incomplète. Il faut bien qu'à un certain moment il ait eu quelque chose comme une révolte, qu'il ait voulu en finir avec toutes les intrigues dont se tissait sa vie et où Maynard Keynes et son cousin Duncan Grant étaient parties prenantes. Il a sans doute envisagé – je ne dirai pas de sang-froid, mais dans un certain élan – de faire le plongeon dans l'hétérosexualité. Mais dès lors qu'on a demandé « Voulez-vous m'épouser ? » et que l'autre a répondu « Oui », l'avenir cesse d'être vague et comme en pointillé, les rêves se coagulent instantanément. Lytton se rend compte que le poids de son passé décidément sera lourd, et Virginia prend conscience que le mariage n'est pas seulement une union intellectuelle. Bref, ils ont peur tous les deux, ils font machine arrière, avec un soulagement mutuel, semble-t-il.

Il est vrai que l'attirance qu'ils éprouvaient l'un pour l'autre n'avait rien du coup de foudre qui abolit les objections et ressemblait plutôt à une fuite en avant avec, en outre, beaucoup d'ignorance. Virginia ne savait pas, en fin de compte, ce qu'était un homme. Lytton ???

ne savait guère ce qu'était une femme. Plutôt qu'à la recherche de l'autre, ils étaient alors, chacun de leur côté, à la recherche de soi. Et ils n'avaient pas compris tout de suite qu'à cet égard ils se ressemblaient, sans être pour autant complémentaires.

Bref, cette étrange journée du 17 février 1909, plutôt qu'un grand départ, fut un virage raté, sous l'effet de la précipitation, et un tournant dans leur vie. « Quoi qu'il arrive, écrit aussitôt Lytton, l'important est que nous ayons de l'affection l'un pour l'autre et de cela, ni l'un, ni l'autre ne doutons ». Ce disant, il reprenait les paroles mêmes de Virginia. Dorénavant, leur amitié a pris un rythme de croisière, avec le minimum d'orages que traverse une amitié de trente ans, et à laquelle ne devait rien changer le mariage de Virginia avec Leonard Woolf, grand ami de Lytton.

Virginia et Lytton se reçoivent régulièrement et il est vrai qu'ils sont l'un pour l'autre un ornement social; il est agréable, il est flatteur d'avoir parmi ses invités la brillante romancière ou le maître de biographie. Il se rendent de mutuels services ou de mutuels hommages comme des dédicaces de livres; il ne s'agit pas d'ailleurs d'échanges de commande, car ils sont heureux d'être ensemble. Une photographie qui date, je crois, de 1923, les montre assis côte à côte sur un banc, souriants et exceptionnellement détendus. Lorsque Virginia souffre d'une de ces dépressions qui ont marqué douloureusement sa vie, Lytton assure à leurs amis communs, par exemple, à Lady Ottoline Morrell, qu'elle va très bien, qu'elle a le teint rose, qu'elle est en beauté, de bonne humeur et plus amusante que jamais. De son côté, elle l'appelle parfois son vieux serpent. C'est une image qui va loin et je voudrais y voir comme une nostalgie de paradis perdu. Après tout, sans cet embarrassant problème des corps dont ils avaient un usage, lui hétérodoxe, elle réticent, ils se seraient sans doute mariés.

Virginia devait écrire, beaucoup plus tard, à Vita Sackville West : « Lytton avait un charme infini et nous nous accordions comme une paire de gants ». Michael Holroyd précise : deux gants de la même main; la formule n'en implique pas moins une authentique similitude. Quand Lytton est déjà au plus mal, elle écrit encore : « S'il mourrait, je ne m'en consolerais pas ». Et après sa mort, elle dit à son beau-frère, Clive Bell : « Ne penses-tu pas qu'il y a des choses qu'on voudrait dire et qu'on ne dira plus jamais maintenant ? ». Je vois là un hommage rendu à ce qu'il y avait d'unique dans la personnalité de Lytton.

Ainsi les relations de Lytton Strachey et de Virginia Woolf furent étroites et, à plus d'un égard, privilégiées. Mais si elles nous intéressent, c'est surtout parce qu'il s'agit de deux écrivains et il est donc naturel de chercher l'influence de cette amitié sur leur carrière et sur leur œuvre; d'autant plus qu'à part quelques incursions dans le domaine politique, non négligeables sans doute, mais pas de toute première importance, la littérature fut, à l'un comme à l'autre, leur raison d'être. Or, il semble justement que l'influence de leurs relations personnelles soit restée à cet égard assez faible. Ce qui tient à plusieurs raisons.

Certes leur champ d'activité fut en partie commun. Au prix d'une légère simplification, on peut dire que Lytton fut d'abord critique, puis biographe. Virginia, elle aussi, commença par la critique, mais sans l'abandonner quand elle se mit à écrire des romans; sur le tard, elle se fit elle-même biographe. Mais ces activités communes n'ont pas toujours coïncidé dans le temps. Lytton commença beaucoup plus tôt son œuvre de critique et surtout sa contribution au journalisme littéraire fut beaucoup plus régulière et plus abondante. En revanche, elle se tarit presque complètement vers 1920, à un moment où Virginia a encore vingt ans d'articles et d'essais devant elle. Ajoutons qu'elle ne toucha au genre biographique qu'après la mort de Lytton. Ainsi, son œuvre littéraire, dans les domaines où elle rencontra les champs d'activité de Lytton Strachey, fut toujours en retrait et même nettement postérieure ; en sorte que, s'il y eut influence, elle fut à sens unique. Sans doute Virginia rapporte dans son *Journal* que Lytton lui aurait déclaré un jour : « Vous m'influencez ». Il est possible qu'il ait été sincère. Mais je dois avouer que, pour ma part, je ne vois guère dans son œuvre ce qui corroborerait ce propos.

On a dit plus d'une fois qu'entre Lytton et Virginia il y avait eu rivalité littéraire, ce qui aurait entraîné de leur part une certaine contrainte. C'est ce que soutiennent Leonard Woolf, James Strachey, Michael Holroyd, Quentin Bell et hier encore Viviane Forrester. Si cette gêne a existé, elle apparaît plutôt dans leur correspondance que dans leurs relations personnelles. Mais, comme on l'a souligné également hier, et c'était là un correctif important, on ne trouve guère chez Lytton l'équivalent du ton parfois un peu guindé de Virginia dans les lettres qu'elle lui écrit. Ses lettres à lui ne sont pas d'un style très différent de celui dont il use avec d'autres correspondants qui n'étaient pas « des rivaux » littéraires. Il lui arrive, c'est vrai, de jouer un personnage, mais non pas uniquement avec Virginia. Et il le joue avec naturel.

A côté des siennes, les lettres de Virginia sont un peu celles d'une brillante élève qui a le privilège de correspondre avec un maître exigeant et qui n'arrive pas tout à fait à oublier que ce maître est un ami sans doute, mais aussi un critique. Des raisons d'âge suffiraient à expliquer cette différence de ton, à quoi s'ajoute que, si aujourd'hui la réputation de Virginia Woolf est sans conteste supérieure à celle de Lytton, il n'en était pas de même de leur temps. Dans la course à la gloire, Lytton a toujours eu – et jusqu'à leur mort – plusieurs longueurs d'avance.

Mais enfin la correspondance est un genre littéraire très particulier et qui d'ailleurs, dans le cas qui nous occupe, n'a connu qu'une diffusion posthume. Venons-en sans tarder à l'œuvre publiée, en commençant naturellement par la critique, puisque c'est là que l'un et l'autre firent leurs débuts.

Ne me faites pas dire que le critique ne serait pas un créateur ; à propos de Virginia, qui précisément concevait l'acte de critique comme une lecture créatrice, ce serait presque de la provocation. Il reste que le critique exerce sa pensée sur une œuvre déjà faite et qui appartient aussi bien à d'autres lecteurs. Les élisabéthains, Gibbon, Jane Austen, Vanbrugh, tant d'autres, sont matière à discussion qui précède l'écriture et, dans le cas du dernier nommé, comme je l'ai dit tout à l'heure, à lecture à voix haute ou à représentation. C'est ici que le phénomène Bloomsbury joue un rôle important. Contrairement à ce qui se passait à Cambridge, où les discussions entre étudiants, auxquelles participaient souvent leurs aînés, étaient surtout d'ordre philosophique, à Bloomsbury elles concernaient surtout la littérature. Les goûts littéraires étaient éclectiques et couvraient largement toute la littérature anglaise et aussi bien la française.

Dans ces rencontres hebdomadaires, il se forgea ce que l'on pourrait appeler une conception d'atelier. Ces jeunes gens – au début ils avaient entre 23 et 26 ans – étaient trop individualistes pour élaborer une doctrine ; du moins ils s'accordèrent sur un certain nombre de concepts dont l'ensemble n'était peut-être pas absolument cohérent, mais à coup sûr assez distinctif pour que, de l'extérieur, on y reconnût leur marque propre. Bien sûr, dans la pratique individuelle de leur art, les divergences reprennent leurs droits, si bien que lorsqu'on dit « Bloomsbury, cela n'existe pas », je ne suis pas éloigné de le croire ; mais la critique littéraire, précisément parce qu'elle s'exerce sur un matériau commun, est bien le lieu des convergences.

Ces convergences ne concernent pas seulement Virginia Woolf et Lytton Strachey. D'autres jouèrent un rôle important dans ces conversations, notamment Saxon Sydney Turner et Clive Bell. Saxon Sydney Turner devait être la désolation de ses amis, puisqu'ils le considéraient comme un génie et qu'il ne produisit jamais rien. Mais il avait une connaissance très riche et très profonde de la littérature. Quant à Clive Bell, on le connaît mieux comme artiste et comme critique d'art, mais en fait, dans le groupe, c'est lui qui, avec Lytton, était le plus familier avec la littérature française. C'est lui aussi qui, dès Cambridge, avait attiré l'attention de ses camarades sur le rapport possible entre l'analyse de l'art pictural et celle de l'art littéraire. La présence de Vanessa, peintre elle-même, ne pouvait que l'encourager en ce sens. Quand on parle des principes esthétiques de Bloomsbury, on songe surtout à Roger Fry, lequel pourtant n'est venu à Bloomsbury qu'en 1910, c'est à dire six ans après le début des soirées organisées par Thoby. Jusque là, c'est à Clive Bell qu'incomba le rôle d'initiateur trop souvent méconnu. N'oublions pas non plus, quoiqu'il appartienne à une génération précédente, un critique comme Desmond Mac Carthy.

Ainsi dans la mesure où Bloomsbury fut un creuset dans le domaine de la critique littéraire, cela implique une parenté manifeste entre les œuvres qui composent le corpus qui en est sorti ; or une large part de ce corpus, articles et essais, est due précisément à Lytton Strachey et à Virginia Woolf. Il convient de les analyser brièvement d'un triple point de vue : sujets, contenu et art.

Notons d'abord que, pour une bonne centaine d'articles, plus de la moitié de sa production totale, Lytton n'a pas choisi ses sujets ; c'est le directeur du *Spectator*, son cousin St Loe Strachey, qui se réservait ce choix. Lui seul décidait de qui et de quoi on allait parler. Le cas de Virginia est un peu différent ; la critique littéraire avait pour elle son côté *pot boiler*; elle écrivait un peu au hasard de ses lectures et des circonstances. Cela dit, il est assez remarquable que l'un et l'autre aient traité de nombreux thèmes communs, « le théâtre elisabethain », Donne, Thomas Browne, Gibbon, Horace Walpole, Lockhart, la littérature russe, en particulier Dostoïevsky, etc. Les dates cependant font toutes ressortir l'antériorité des textes dus à Lytton.

Certes une similitude de sujets peut attester surtout l'éventail de leur culture, ou leur vocation à l'éclectisme, mais l'examen du contenu de la doctrine critique est plus révélateur. En parlant de l'œuvre critique de Virginia Woolf, on loue en général son indépendance, son intégrité, sa sensibilité sans sentimentalisme, son indifférence aux canons préétablis et cette croyance qu'à chaque génération il faut relire les œuvres, les re-critiquer et en ré-inventer le sens, autrement dit que la critique ne s'arrête pas. Tout cela est vrai, mais si on relisait la critique littéraire de Lytton Strachey (ce qui est rarement le cas), on verrait que lui aussi a occupé – et avant elle – des positions très voisines. Par exemple, lorsque dans *The Lives of the Poets*, en 1906, il prend parti pour Sainte-Beuve contre Johnson, il dit explicitement son refus des canons préétablis, son respect de l'œuvre qui ne doit être jugée qu'en fonction d'elle-même. Quand il dénonce les dangers d'une excessive sympathie avec le sujet, qui risque d'obscurcir le jugement, il annonce déjà la théorie du détachement qu'il prônera dans la Préface d'*Eminent Victorians.* Après avoir critiqué vigoureusement Johnson, s'il peut se permettre ensuite, et sans se contredire, de lui rendre un hommage mérité, c'est que précisément, pour analyser les raisons de ces réticences, il a relu et repensé Johnson, en homme dont la sensibilité et le jugement ont été affectés par tous les changements qui se sont produits depuis le XIXème siècle, en particulier par le grand bouleversement romantique, et que, prenant en charge ce changement, il est capable à présent, malgré sa réaction spontanée, de reconnaître la grandeur de Johnson.

Prenons un autre exemple, qui concerne plutôt le contenu factuel que les principes théoriques. Il s'agit d'articles sur un même auteur, ici Horace Walpole. Lytton lui a consacré trois études, en 1904, en 1905 et en 1919, et Virginia Woolf, en 1940, une seule intitulée *The Humane Art* (« Humane » ici implique l'idée de raffinement) et qui concerne le talent des épistoliers. Entre des articles, même de diverses périodes, mais traitant du même sujet, il est normal de trouver des recoupements. Sans doute, mais dans le cas présent ils sont vraiment très nombreux. Je cite, presque au hasard, des formules communes : « Walpole avait en écrivant un œil sur la postérité », « il avait ce trait en commun avec Madame de Sévigné », « il fut fort maltraité par Macaulay qui le trouvait hypocrite et affecté », « ce n'était pas un homme de premier plan », « il avait des traits mesquins », « son étroitesse d'esprit, comme sa politesse, étaient des produits de son éducation aristocratique, de même que son contentement de soi et sa discrétion ». A côté de ces rencontres les différences de position ont bien peu d'importance. Certes Lytton définit le caractère de l'épistolier comme de nature féminine et égoïste; de son côté, Virginia conteste, comme trop tranchée, l'opinion d'un récent biographe de Walpole qui ne voyait en lui qu'un historien déguisé, c'est à dire quelqu'un qui écrivait, non pour ses amis, mais pour la postérité seule. Mais je n'ai rien trouvé d'autre comme opinions propres à l'un ou à l'autre de nos critiques. Il est vrai que, dans d'autres cas, les divergences seraient plus sensibles, et non sans impor tance. Alors, par exemple, que Lytton déploie contre Mathew Arnold toutes les ressources de son ironie,

Virginia persiste à le considérer comme un grand critique.

Sur le plan de l'art, enfin, on peut distinguer deux niveaux; d'une part le ton, l'allure générale, d'autre part le style proprement dit.

Virginia Woolf se prétendait une lectrice moyenne *a common reader*, ce qui donne à ses écrits un certain tour intimiste; elle a souvent l'air de converser avec son auteur ou bien de refaire son œuvre. Critique d'impression qui connaît la fragilité de son savoir, elle a cependant si bien fait son miel de ces causeries à domicile qui lui servirent d'université, que ses écrits ont une touche hautement personnelle. Ceux de Lytton, tout aussi personnels et justement pour cela, sont très différents. En effet, par tempérament, par formation, mais aussi par discipline apprise au *Spectator*, il prend d'emblée un tour magistral. Sans être guindé ni pompeux, il évoque un certain type d'universitaire bienveillant qui, du haut de sa chaire, déroule ses démonstrations, épingle ses références aux grands anciens et, de temps à temps, colore son érudition d'un frémissement très discret de passion.

Voilà pour ce que j'ai appelé le ton. Mais en ce qui concerne le niveau du style proprement dit, là où se font les osmoses qui tiennent aux affinités profondes, aux influences de la personnalité tout entière, les ressemblances au contraire sont fréquentes et en particulier, bien sûr, dans les essais qui traitent des mêmes sujets. Jean Guiguet a noté plus d'un jeu de périodes et de phrases courtes, d'adjectifs et de substantifs qu'on n'attendait pas, de rythmes identiques qui se retrouvent dans les deux auteurs. A quoi j'ajouterais, comme très caractéristiques, les chapelets de questions rhétoriques avec leurs réponses ternaires.

Il est bien clair que les deux modes de vision sont proches et l'on ne peut nier une grande parenté. Mais pour des raisons évidentes de chronologie, il me semble que ces ressemblances sont beaucoup moins dues à l'héritage commun d'une classe sociale, voire d'un « groupe » (c'est la seule fois où je prononcerai ce mot et je le mets entre guillements), qu à l'absorption progressive – et largement inconsciente – par Virginia du style, de la manière et parfois des manies de Lytton. Non seulement elle était la cadette, non seulement il participait au prestige de Cambridge, mais il était le plus mûr et le plus brillant des amis de Thoby. Sans doute il ne tenait pas de longs discours, mais ses propos étaient toujours pertinents, fussent-ils impertinents et toujours percutants. J'ai parlé d'une imprégnation en partie inconsciente, mais il semble que Virginia ait fini par reconnaître plus clairement cette sorte de fascination. En 1921, écrivant à Lytton que, sur certains sujets, son propre style se moule spontanément sur le sien, elle cite comme exemples l'usage des deux points, des tirets, des exclamations. Cet aveu d'imitation n'a pas échappé à Jean Guiguet, mais je crois qu'il fait la part trop belle à la boutade. Car la boutade est justement ce qui permet de dire en souriant des vérités sérieuses. Il est certain d'ailleurs que le style de Lytton se prêtait au pastiche. En 1931, par exemple, Carrington gagna un prix littéraire, offert par un magazine, pour une page excellente qui relatait par anticipation la mort de Strachey. Or, si le style est bien l'homme, son appropriation par un tiers renvoie à un très intime transfert de personnalité. De Lytton on n'imitait pas seulement le style, mais les vêtements, la voix, et jusqu'aux travers. Ces influences témoignent d'un accord au niveau de l'être même. Et ce n'est certes par hasard que Virginia Woolf dédia *The Common Reader* à Lytton Strachey.

Passons maintenant au roman. Il est vrai que Lytton Strachey n'a jamais écrit d'œuvre romanesque, ni même consacré aucun écrit théorique à ce genre littéraire. Pourtant Johnstone a noté que, sur un point important, la construction de *Mrs. Dalloway* (1925) ressemble beaucoup à celle de *Queen Victoria* (1921). En particulier, le groupement des personnages autour de la figure centrale de Clarissa, à la fois pour leur importance respective et pour la manière de les présenter, est très voisin de celui des personnages de *Queen Victoria* autour de la reine. S'il ne s'agit pas d'une simple coïncidence, l'analogie me semble peu significative. Mais Lytton est présent dans les romans de Virginia Woolf d'une tout autre manière, comme personnage. Dans *The Voyage Out*, sous la figure de St John Hirst. Naturellement, il ne s'agit pas d'un portrait photographique. Mais quand on nous dit que St John Hirst ne s'assoit pas sur une chaise, que plutôt il s'y effondre, qu'il semble être entièrement constitué de jambes (voir son portrait par Henry Lamb à la New Portrait Gallery) et que de surcroît, lorsqu'il s'appuie sur un chambranle de fenêtre, il ressemble à « quelque singulière gargouille » (*some singular gargoyle*) – et je souligne le « singular », usage malicieux d'un des adjectifs préférés de Lytton – on ne peut guère hésiter sur le modèle. Et cela tant au moral qu'au physique. St John Hirst est un peu intellectuel, très sagace, il admire Gibbon, il est misogyne (façon courtoise de suggérer tout autre chose), il est très marqué par ses souvenirs de Cambridge, il trouve intolérable la compagnie de sa famille, la bêtise lui donne la nausée. Ambitieux, mais encore obscur, ce personnage en vient à avouer qu'il ne peut souffrir ceux qui réussissent mieux que lui, même s'il s'agit de choses tout à fait absurdes. Tous ces traits ont leur place dans une biographie de Lytton Strachey.

St John Hirst n'a certes pas, dans le roman, l'importance de son ami Terence Hewett, mais il apparaît au cours d'une scène qui évoque symboliquement les incompatibilités physiques de Lytton et de Virginia, telles qu'avait pu les faire apparaître l'épisode de la demande en mariage. Elles sont ici romancées ou, si l'on préfère, sublimées sous la forme d'une valse. Choix particulièrement habile, car qui dit valse dit rondeur et Lytton, comme son avatar, était tout à fait anguleux. Rachel n'est pas spécialiste, mais Virginia Woolf la crédite d'une bonne oreille et du sens du rythme, si bien que la leçon n'est pas ambiguë : s'ils n'arrivent pas à mettre leurs pas à l'unisson, c'est la faute de Hirst et c'est lui qui propose qu'on arrête l'expérience.

A un autre moment, Rachel se trouve sans réponse après une répartie de St John. C'est ce qui a dû arriver bien souvent à Virginia, du moins au début, en face du terrorisme intellectuel très raffiné de Lytton. Dans le roman, elle fait dire à Rachel : « Il est laid de corps et repoussant d'esprit ». Mais elle tente, à la fin du livre, une espèce d'explication compréhensive de la nature tourmentée et terriblement solitaire de St John : « Pourquoi les gens ne l'aiment-ils pas ? Parce qu'il dit des choses méchantes contre eux ! Et s'il le fait, c'est qu'il est malheureux lui-même ! Et comment aller vers les autres ? Il avouait qu'il n'avait que très rarement dit à quelqu'un qu'il l'aimait et que le plus souvent il avait regretté d'être démonstratif ». Ici, l'analyse de la solitude morale doit plus, je crois, à la perspicacité de Virginia qu'aux confidences de Lytton et peut-être davantage encore à sa propre expérience vécue.

Au printemps de 1909, avec quelques autres, Lytton et Virginia avaient commencé le jeu dangereux de ce qui devait être un roman par lettres; sous le couvert de pseudonymes, on espérait se dire ses vérités, voir jusqu'où on pouvait aller trop loin. Il a fallu très vite y renoncer, car l'amitié n'y eût pas survécu. Mais le couvert du roman est sans doute moins périlleux. Par convention, les auteurs de fiction s'arrogent le droit de n'attribuer qu'à la pure coïncidence toute ressemblance entre leurs héros et les personnes réelles. Lorsque paraît *The Voyage Out*, et même s'il lui est difficile de ne pas se reconnaître en St John Hirst, Lytton Strachey est un trop vieux routier des Lettres pour s'en offusquer, il admire au contraire l'écart que la fiction a créé; et quand il parle à Virginia de son livre, il manifeste le plus grand enthousiasme, allant jusqu'à évoquer Tolstoï et Shakespeare; le seul point qui le déconcerte est, dans la conception d'ensemble, un certain manque de cohésion, l'absence d'une idée dominante. Sans approfondir, il pressent qu'il s'agit d'un nouveau type de roman où les péripéties auront finalement moins d'importance que l'essence.

Dans *The Waves*, en 1931, si Perceval a beaucoup de Thoby, le personnage de Neville évoque à nouveau Lytton, mais il tient un rôle moins important que St John dans *The Voyage Out*, et peut-être parce qu'alors les émotions neuves avec Lytton appartenaient depuis longtemps au passé. Physiquement, Neville n'est pas beau, il se juge disgracié et croit inspirer de la répulsion. En réalité à l'époque où Virginia écrit *The Waves*, Lytton, qui a plus de 45 ans, a trouvé déjà depuis plusieurs années un réel équilibre intérieur, qui se manifeste dans sa démarche, dans son physique. Toute la collection de ses photographies entre vingt et quarante-cinq ans révèle ce que je n'ose pas appeler une marche à la beauté, car on m'accuserait de provocation, mais une évolution dont le portrait de Neville ne tient pas compte. Il semble que Virginia vive encore sur ses premiers souvenirs. Dans le roman, Neville aime Percival, comme Lytton avait aimé Thoby, d'un amour très romanesque. Comme St John Hirst, il a la conscience que le monde est chaotique et il cherche l'ordre; il a du mal à communiquer avec les autres, mais il est moins arrogant que St John, et ce trait s'accorde avec tout ce que l'on sait par ailleurs de

Strachey. Le nouveau est que Neville est un auteur à succès, mais qui n'est pas heureux et dont Virginia maintenant critique l'art. Elle juge sa poésie artificielle, insuffisamment sincère. Elle lui fait dire lui-même : « Je suis voué éternellement à rester attaché à l'extérieur des mots ». Donc, au total, ce portrait n'est pas plus flatté que l'autre et contient même une amorce de critique littéraire. Mais Lytton n'a pas connu ce livre; lorsque Virginia le lui adressa à Hamspray, il était déjà alité; il devait mourir quelques semaines plus tard.

S'il est vrai que nous ne saurons jamais ce qu'il en eût pensé, en revanche nous savons quel accueil il a fait aux autres romans de Virginia. Pour cela, plutôt que ses lettres à Virginia, où il pourrait y avoir quelque complaisance, il faut consulter sa correspondance avec des tiers. Ecrivant soit à sa sœur, Philippa ou Dorothy, soit à Lady Ottoline Morrell, soit à Roger Senhouse, généralement il émet les opinions les plus favorables, allant jusqu'à parler de chefs d'œuvre. Sans doute, à propos de *la Promenade au phare*, il écrit : « C'est vraiment une variété très extraordinaire de littérature ! Ce qui me gêne, c'est qu'on n'y fait jamais l'amour ni en réalité, ni par implication. J'imagine que le phare représente quelque symbole, mais je n'arrive pas à voir ce que c'est. Avec tout autre auteur, la suggestion serait assez évidente, mais cela ne convient pas du tout dans ce schéma asexué ». Le plus souvent son jugement est si positif qu'on hésite à parler de quelque rivalité littéraire. Lytton connaissait, il est vrai, suffisamment de succès lui-même pour n'avoir jamais été tenté par la jalousie. Ce n'est pas à dire qu'il ait fait un effort de véritable compréhension. Même lorsqu'il lui arrive de soupçonner quelque chose de neuf, il continue à fonder ses jugements sur des critères traditionnels comme le caractère des personnages et le déroulement de l'intrigue.

Partout il cherche la sexualité, ce que de plus en plus il considère – jusqu'à l'obsession – comme le commun dénominateur de l'humanité et, en lisant les œuvres de Virginia, il se sent à cet égard assez déconcerté.

Il nous reste à considérer leur relation sur le terrain de leur œuvre biographique. Ici les choses sont un peu différentes. *Eminent Victorians* date de 1918; *Queen Victoria*, de 1921, *Elisabeth and Essex* de 1928; en 1932, c'est la mort de Lytton et alors seulement Virginia Woolf écrit *Flush*, en 1933 et *Roger Fry*, en 1940. Ainsi, dans une première période, elle a pu lire et juger les biographies de Lytton; ensuite elle a rédigé les siennes; dans une troisième étape, elle livre des considérations critiques sur le genre.

En 1918, *Eminent Victorians* fait véritablement l'effet d'une bombe dans le ciel des Lettres. Virginia félicite Lytton : « style magistral, tissu narratif très serré ». Cependant, elle n'est pas sûre que Gordon, en tant que personnage, soit convaincant; elle voit bien la méthode qui consiste à éclairer tel ou tel coin du tableau, puis à faire le noir aussitôt, mais elle estime que cela nuit à l'ensemble. Au total, elle doute que l'habileté (*skill*) puisse être plus grande, mais son enthousiasme reste modéré. D'ailleurs, lorsque Lytton avait fait un soir à haute voix la lecture de son manuscrit, à sa grande honte, elle s'était endormie. L'accueil du public fut moins réservé. Lytton Strachey aurait souhaité que Virginia rendît compte du livre dans le *Times Literary Supplement*. Le projet n'aboutit pas. Il semble qu'elle ait éprouvé un certain pincement au cœur devant le succès de l'ouvrage. Encore vingt ans plus tard, dans son essai, *The Art of Biography*, elle remarquera, non sans une pointe de dépit : « Les éditions se multiplièrent ».

En 1921, *Queen Victoria* reçut un accueil triomphal; faisant moins de place à l'ironie, le livre suscita peu d'opposition idéologique. On sait que cette biographie est dédiée à Virginia Woolf. Mais le ton de sa lettre de remerciement paraît un peu forcé. Elle loue la vive allure à laquelle est mené le récit, le dosage de l'émotion et de la satire, le sens des portraits, mais elle regrette la part trop belle faite aux simples anecdotes. Sans employer le mot dont useront d'autres critiques, elle trouve que Lytton fait trop le montreur de marionnettes, qu'il explique trop. Lectrice avide de participer, elle ne veut pas se sentir au spectacle. La lettre cependant se termine par une gerbe de compliments. Elle convient même – on serait tenté de dire : elle convient enfin – qu'elle est un peu jalouse.

Pour connaître son véritable sentiment, il faut recourir au *Journal* et à ce qu'elle déclare à des amis comme Gerald Brenan, que le livre est illisible; à quoi Leonard fait chorus. Elle admet que Lytton est très subtil, que c'est un bon critique et un excellent ami, mais elle apprécie peu son œuvre de biographe, c'est à dire celle sur laquelle se fonde l'essentiel de sa réputation.

La troisième et dernière grande biographie de Lytton parut sept ans plus tard, en 1928. Virginia l'exécute en deux mots : « Si faible, si superficiel » (*so week, so shallow*). Il est vrai que, cette fois-ci, les critiques furent partagés, en dépit d'un énorme succès de librairie et notamment des ventes colossales aux Etats-Unis. Dans *Elisabeth and Essex*, Lytton avait écrit l'une des phrases les plus plates de son œuvre : « La situation en Irlande n'était pas aussi mauvaise qu'elle aurait pu l'être ». Mais tout n'était pas de cette veine. Desmond Mac Carthy, Forster et d'autres apprécièrent la puissance dramatique du livre. En tant qu'historien et non suspect de complaisance, George Trevelyan ne trouva rien à redire, disant même à l'auteur : « C'est votre plus grand livre ». Spécialiste des abîmes du cœur, Freud lui écrivit de Vienne pour saluer l'effort de reconstruction, absolument nouveau, d'une personnalité à partir d'une investigation de caractère psychanalytique. D'autres critiques, il est vrai, étaient défavorables et Virginia partageait leur opinion. En fait, il semble qu'elle eût comme un compte à régler avec le genre même de la biographie. Elle-même venait de publier *Orlando* présenté, non sans plaisanterie, comme une « biography ». Dans la préface, sorte de parodie de ce que sont les préfaces, elle suggère les faiblesses du genre, les obstacles qu'il rencontre, les pièges qu'il recèle; elle ne voit là ni art, ni science, mais une simple technique. En réalité, avec *Orlando*, cette expérimentatrice impénitente présente une technique très originale : elle brise les catégories, en particulier le moule du temps, elle nie le partage des sexes, etc., mais il faut bien voir qu'il s'agit d'un roman plutôt que d'une biographie.

Lytton étant mort en 1932, le parallèle s'arrête entre les deux carrières. Mais Virginia n'en a pas fini avec la biographie. En écrivant *Flush*, elle tente une nouvelle forme d'expérience. Elle considère la vie d'Elizabeth Barrett Browning du point de vue de l'épagneul donné par Miss Mitford. Virginia avait assez de peintres dans son entourage pour envier parfois leur pouvoir de traduire les sensations et les émotions autrement que par des mots; malheureusement une âme de chien a besoin de mots humains pour s'exprimer, et cette fiction ne fait que repousser le problème; l'essai de biographie à travers l'âme d'un chien tourne vite à l'artifice.

En 1934, on demande à Virginia d'écrire la biographie de son ami Roger Fry; son *Journal* porte les traces de son hésitation à accepter. Elle écrit : « Et maintenant, il faut que je fasse biographie et autobiographie », formule qu'éclaire cette autre réflexion : « Est-ce que je n'écris pas des essais sur moi-même ? ». De ce livre qui, commencé en 1934, ne parut qu'en 1940, elle a noté elle-même : « Le résultat est comme un enfant né de Roger et de moi ». Or le biographe, même en sympathie avec son sujet, a sans doute intérêt à prendre des distances; mais ce n'est pas là sa seule obligation, il en a deux autres et que Virginia Woolf, dans son *Roger Fry*, n'a pas moins ignorées. D'abord, écrire la vie d'un peintre et d'un critique d'art suppose une compétence qui manquait à Virginia. Deuxièmement, et ce point est plus important, au prétoire de la postérité le biographe est tenu par serment implicite de dire la vérité, c'est à dire non seulement rien que la vérité, mais toute la vérité.

Juste après la mort de Lytton, Virginia avait envisagé d'écrire sa vie, mais elle avait sagement compris que le temps n'était pas encore venu de parler librement de l'homosexualité. Sans doute, avec Fry, le problème était moins délicat, mais Roger avait une vie sentimentale compliquée et qui touchait de trop près à la famille même de Virginia pour qu'elle osât tout dire. C'est pourquoi, dans son livre, tout un pan de l'homme reste inexpliqué ou obscur. En fait, elle ne sentait pas cette forme d'écriture comme son métier et elle ne l'a pas pratiquée assidûment. La biographie exige des qualités fondamentales qui n'étaient guère compatibles avec sa nature, et d'abord l'effacement. Le biographe doit se mettre à l'écoute de son sujet, ne pas le tirer à soi, éviter surtout l'autobiographie. Or Virginia est toujours présente en personne dans ses écrits, trop à l'écoute de son monde intérieur pour être à l'écoute d'autrui. En dépit d'une quête forcenée et parfois poignante de ce qui pour elle est le réel, elle n'est pas réaliste.

Cependant c'est à la même époque qu'elle esquisse une approche théorique de la biographie avec l'article intitulé *The Art of Biography*, paru dans *The Atlantic Monthly* en avril 1939. Certaines notations sont dures pour Strachey. Quand elle écrit : « La biographie enrichira sa portée en suspendant ses miroirs dans des coins bizarres », la phrase pourrait appartenir à la Préface d'*Eminent Victorians*. Au reste, elle loue expressément Lytton d'avoir eu le courage de tout dire, même des choses désagréables. Et cela au moment même où elle vient d'achever son *Roger Fry*. Les lignes qui évoquent la tyrannie de la veuve et des amis qui préfèrent une hagiographie à la vérité sonne un peu comme un plaidoyer *pro domo*.

En fait, cet essai sur l'art de la biographie est largement fondé sur une étude de Lytton Strachey. Cette fois-ci, elle le situe publiquement très haut. A propos de ces louanges posthumes, Michael Holroyd déclare : « Il était mort, elle était maintenant une romancière célèbre, le temps de l'envie était passé ». C'est une façon de voir, mais pas tout à fait la mienne. Au début de son essai, Virginia demande : « La biographie est-elle un art ? », mais la réponse qui vient un peu plus loin explicite ce que suggérait la préface d'*Orlando* : la biographie n'est qu'une technique. Après cela, Virginia peut bien mettre Lytton dans une niche de choix, cette niche n'est pas dans la nef centrale, mais plutôt dans un bas-côté. On est un peu gêné de voir un écrivain dénigrer une activité dans laquelle il excelle moins bien que d'autres. Virginia aurait peut-être dû méditer ce qu'elle a elle-même écrit : « De toute cette diversité la biographie fera ressortir non le désordre et la confusion, mais une unité plus riche ». En fait, elle avait toujours pensé, et elle avait parfois dit, que la réputation de Lytton était exagérée, mais sans préciser pourquoi. Ici, elle pense évidemment à lui lorsqu'elle déclare que le biographe, qui n'est qu'un artisan, doit s'appuyer sur les faits, le nom d'artiste devant être réservé au véritable créateur.

Donc, cet essai sur *l'Art de la biographie* dispose de la gloire de Lytton, dont le talent – et je ne suis même pas sûr que le mot soit prononcé – n'est plus, aux yeux de Virginia, qu'une habileté. On se souvient que Sir Leslie était biographe; l'essai, incidemment, dispose donc aussi de la gloire du père. Rien de tout cela probablement ne se situe au niveau de la conscience claire, mais tout cela semble conforme aux puissantes exigences de sa nature. Elle même avoua plusieurs fois, en particulier à Jacques Raverat, le terrible égoïsme qui était le sien dès qu'on touchait à ses écrits; comme les écrits auxquels elle tient le plus sont naturellement ses romans — ce qui est très légitime — on comprend qu'elle ne soit pas disposée à renoncer à sa hiérarchie. Il s'agit un peu de cet égoïsme sacré de l'artiste qui a tellement besoin de se rassurer qu'il ne peut s'offrir le luxe de la générosité, surtout quand il est redevable à autrui.

Virginia Woolf n'a jamais traité en rivaux des écrivains comme Desmond Mac Carthy, comme T.S. Eliot, ou comme Forster; ou bien ils étaient d'une autre génération, ou bien ils possédaient une qualité spécifique à laquelle elle ne prétendait pas. Il se peut qu'un roman comme *The Voyage Out* ait une certaine parenté avec ceux de Forster, mais c'était là pour elle une étape normale de la découverte de soi et une parenté légère dont elle s'est débarrassée sans peine. Le cas de Lytton était tout différent. Il était son contemporain, il l'avait fréquentée plus que personne, il l'avait d'abord effrayée, puis amusée; il lui avait appris l'art de briser de vieux tabous; il l'avait estimée et même, à sa façon, il l'avait aimée. En outre, il l'avait distancée dans la course à la gloire. Par rapport à lui, elle s'était toujours sentie en retrait.

Il est difficile de ne pas discerner quelque partialité dans son refus obstiné d'apprécier Lytton comme biographe; « quelque partialité », mais aussi comme un effort, peut-être sain d'ailleurs, encore que brutal, pour se dégager d'une influence subie depuis si longtemps. Qu'on ne croie pas ici à un dénigrement de ma part, il faut bien larguer les amarres et de telles séparations, peut-être fécondes, ne se font pas sans quelque ingratitude. Songeons au cas de Lytton lui-même, à ses jalousies de jeunesse, à ses arrogances, à ses stridentes affirmations de soi, au puissant vitriol d'*Eminent Victorians*, qui est un peu comme le testament d'un jeune homme en colère. Ensuite, soit que le jeune homme se fût trop tôt rangé, soit que son corps l'eût trahi – car s'il avait la tête solide, il était de médiocre santé – soit que, faute d'entourage, le désir d'écrire une œuvre se fût lentement émoussé en lui (car au total Virginia n'avait pas tout à fait tort), l'œuvre qu'il laissa n'est pas tout à fait celle qu'on attendait, elle ressemble un peu à une promesse non tenue.

A considérer cette carrière et cette œuvre, Virginia n'éprouve d'ailleurs pas des entiments simples; à côté de l'âpreté que j'ai signalée tout à l'heure, on sent parfois, en elle, au-delà de l'envie et des condescendances, au-delà de la volonté de se libérer de son influence, comme une note d'amour déçu, un peu comme si Lytton, en décidant de faire sa vie une œuvre d'art, avait un peu trahi l'esprit. C'est à peu près ce que dit Virginia dans son *Journal*, où elle accuse nommément Carrington de ne pas avoir été la compagne qu'il lui aurait fallu. L'âpreté de Virginia, née de toutes les déterminations qui avaient pesé sur elle, dont sa condition de femme, née aussi des limites de son épanouissement individuel, était sans doute le ferment nécessaire où s'alimentait le terrible héroïsme quotidien dont elle avait besoin, elle qui à coup sûr ne trahit pas l'esprit pour s'arracher d'elle-même son œuvre.

La leçon finale est, si l'on veut, assez mélancolique. Amis certes, Lytton Strachey et Virginia Woolf l'avaient été; mais ni l'un ni l'autre, que ce fût à la façon bénigne de Lytton, ou sur le mode agressif de Virginia, n'avait consenti à un sérieux effort critique pour comprendre l'œuvre de l'autre. Et d'ailleurs, quand même votre

DISCUSSION

Viviane FORRESTER : Vous avez raison de souligner que Virginia a souffert du succès de Lytton, mais le succès, à ses yeux, était un piège qu'elle a toujours voulu éviter. Quand elle a connu la gloire avec *Orlando*, elle en a été inquiète, et c'est une des raisons qui l'ont conduite à la folie. Une des clés de son rapport avec Lytton est son besoin de ne pas vivre seulement sur son génie, de se convaincre elle-même qu'elle était capable de vivre au niveau des gens normaux, loin de ce gouffre qui pouvait toujours s'ouvrir et à partir duquel elle n'avait plus aucune communication. Et là, en effet, je crois qu'elle devient mimétique. J'ai été très intéressée par tout ce que vous avez dit de l'influence de Lytton sur Virginia Woolf critique. Mais en ce qui concerne la biographie, il me semble que Virginia avait raison. Certes elle n'était pas réaliste, mais le réalisme qui lui a manqué n'est pas l'authentique vérité d'un écrivain. La véritable vie est tout autre chose, et Virginia avait raison de la chercher dans les œuvres de fiction.

Quant à la phrase de sa lettre à Lytton où elle parle de ses tics de style, j'avoue que j'y avais toujours vu une forme assez sévère de démystification.

Gabriel MERLE : Je ne pense pas, car dans plusieurs autres articles on trouve chez Virginia des résurgences, certainement involontaires, de ce genre d'écriture. J'aperçois là le signe d'une influence en profondeur, d'une vraie connivence qui dépasse de beaucoup le plan littéraire. En ce qui concerne la hiérarchie des genres, nous ne pouvons engager ici une discussion théorique. De toutes façons, je n'ai pas mis en cause l'opinion selon laquelle le roman serait une forme d'art supérieure. J'ai simplement indiqué que pour certains, dont je suis et qui sont sans doute une minorité, la vision du biographe peut être une sorte de création. Avec le mérite en outre que son authenticité peut se vérifier par le témoignage des autres.

Jean GUIGUET : Votre mérite est d'avoir situé ce problème dans l'ensemble d'une double question, celle de Virginia Woolf et celle de Bloomsbury. En essayant soit d'écrire des biographies, soit de définir le genre même de la biographie, il me semble que Virginia poursuivait seulement son dessein fondamental, celui de trouver ce que c'est qu'un homme, ce que c'est que la vie. N'oublions pas que pour elle un être réduit à lui-même n'est qu'une hypothèse abstraite. C'est pourquoi *Orlando* est une parodie dont les intentions me paraissent très profondes. Ce personnage qui vit quatre siècles n'existe pas, et Virginia Woolf a l'intention très précise qu'il soit ainsi. Elle ramasse en lui toute l'expérience d'un high-brow, d'un aristocrate britanique. Ensuite, en écrivant *Flush,* là aussi, au lieu de procéder en biographe traditionnelle, elle a placé sa caméra dans la tête de son personnage. Le cas du *Roger Fry* est tout à fait spécial ; là, comme vous l'avez précisé, Virginia s'est trouvé emprisonnée dans une multitude de contraintes qu'elle n'a pas acceptées de bon gré. Certes son *Journal* présente la rédaction du livre comme une corvée, mais je crois que, si elle avait eu la paix, si elle avait écrit cette biographie comme elle la concevait, comme une sorte de symbiose du modèle et du peintre, elle aurait réussi ce qu'elle souhaitait avant tout : se projeter elle-même dans le monde, réussir en quelque manière une fusion du non-moi et du moi.

Gabriel MERLE : Vers 1910, Lytton Strachey s'était trouvé dans une situation un peu analogue. On lui avait offert d'écrire une biographie de Florence Nightingale et il avait refusé, car la Florence Nightingale qu'il avait en tête n'était pas conforme à la biographie officielle qu'on attendait plus ou moins de lui.

Raïssa TARR : Vous avez dit que la biographie peut prendre les caractères d'une création, et je suis d'accord avec vous, mais je souhaiterais que vous précisiez cette affirmation par des exemples.

Gabriel MERLE : Au risque de vous sembler naïf, je vous renverrais justement à l'œuvre de Lytton Strachey ; elle a été, je crois, un grand tournant dans la biographie. On a dit hier qu'après *Ulysses* on ne pouvait plus refaire Ulysses. J'en dirais volontiers autant d'*Eminent Victorians.* Après ce livre, beaucoup de gens ont voulu faire du Strachey, mais vainement car il leur manquait l'équipement intellectuel et la formation d'historien nécessaires. Strachey n'a écrit de biographies que de reines ou de personnages historiques ; il avait pris ses grades en histoire à Cambridge et, de ce point de vue là, il était qualifié. Mais lorsque j'ai parlé de création, j'ai voulu dire que la vision que présente Strachey dans *Eminent Victorians* s'oppose radicalement à celle que ses contemporains se faisaient, par exemple, de Florence Nightingale ou de Manning. Strachey a su relier ses personnages à toute la politique, à toute l'histoire du moment. A cet égard, son œuvre n'a pas été seulement une bombe littéraire. Le livre a paru en pleine guerre, en un temps où l'Angleterre, qui n'avait jamais été très sûre d'avoir eu raison d'entrer dans cette guerre, s'inquiétait de voir le conflit s'éterniser. En dénonçant en quelque sorte la civilisation qui avait conduit à cette situation, il faisait en quelque sorte œuvre de créateur.

Raïssa TARR : Ne croyez-vous pas que le biographe et celui dont il écrit la vie doivent présenter certaines affinités ?

Gabriel MERLE : C'est un point très discuté. *Eminent Victorians* est une œuvre fort percutante, *Queen Victoria* l'est un peu moins. Il me semble qu'en général Lytton Strachey n'a jamais été meilleur biographe que là où il s'est opposé le plus à ses modèles.

Jean GUIGUET : Pour ma part, je dirais qu'il faut au biographe un minimum de sympathie avec son sujet, mais en même temps une certaine distance, ce que vous avez évoqué en parlant de la règle du détachement. Cet équilibre est très rare.

Gabriel MERLE : Il me semble que Boswell a réussi fort bien dans ce genre difficile , c'est la biographie au jour le jour avec ses avantages certains, mais aussi la patience qu'elle exige du lecteur. Strachey préfère les tableaux plus brefs, ce qui implique un certain risque. En quelques pages, il faut viser au cœur et sans jamais tomber dans la caricature. Dans les petites biographies de Strachey, publiées en 1931 sous le titre de *Portraits en miniature,* je crois qu'il est arrivé à une sorte de perfection. Plus près de nous, la biographie critique de Henry James par Léon Edel me semble également un modèle du genre.

Jean GUIGUET : Permettez-moi d'être moins indulgent que vous pour cette biographie de Edel, qui s'étale sur cinq volumes et qui est une sorte de passage à la moulinette des lettres, des documents et des confidences de tous les amis et de tous les critiques de Henry James. Derrière tout cela, on ne retrouve ni l'homme ni l'œuvre.

Viviane FORRESTER : Pour revenir au problème de la vérité (vous avez dit qu'un biographe devrait pouvoir dire toutes les vérités), ne pourrait-on dire que la seule vrai biographie serait une autobiographie, et je songe en particulier au *Journal* comme celui de Kafka. Il y a là toute la vie d'un homme. On rêve de ce que serait le *Journal* d'un homme politique rapportant sa vie au niveau de tous les problèmes, de tous les fantasmes, de toutes les questions que peut poser un engagement politique vécu.

Jean GUIGUET : Ce souci du concret est manifeste chez Virginia Woolf après 1932. Elle vient d'écrire *Orlando,* que j'ai qualifié de parodie, va écrire *Flush,* et un peu malgré elle *Roger Fry,* mais surtout elle compose *The Years.* Après *The Waves,* elle a eu le sentiment que son œuvre basculait dans l'abstraction, et tout ce qu'on lit à cette époque dans son *Journal* montre qu'elle souhaite revenir au réel. Ses tentatives de biographe sont comme des exercices en ce sens. Mais c'est aussi le cas de *The Years*. Virginia se demande si elle peut écrire un roman qui, comme les précédents, pose les questions métaphysiques fondamentales et qui en même temps intégrerait toute la réalité. *Orlando* était à la fois fantaisiste et réaliste, *The Waves* était le livre mystique et sans regard ; la tentative de *The*

Years, c'est d'unir la réalité et le regard profond. Ainsi la romancière rejoint la biographe et je ne pense pas qu'on puisse les opposer.

Clara MALRAUX : La biographie est par essence un genre faux : ou nous sommes trop près, ou nous sommes trop loin. Dans ces conditions, il me semble que les seules bonnes biographies sont les biographies absolument tendancieuses, celles où quelqu'un s'engage entièrement, veut faire le portrait non pas de la personne qu'il décrit, mais plutôt de ses propres rapports avec elle.

Jean GUIGUET : C'est bien l'avis de Virginia Woolf : pour elle, les êtres sont toujours composites, à la fois le regardé et le regardant.

Viviane FORRESTER : Il me semble que l'infériorité du biographe est de se mettre moins en danger que le romancier. Il est certain que, dans son domaine, Lytton Strachey est très supérieur à Virginia Woolf, mais ce n'est pas pour des raisons purement subjectives que je préfère *Orlando* à *Eminent Victorians.*

David DAICHES : Il me semble que nous avons laissé de côté une clé très importante en ce qui concerne l'attitude de Virginia Woolf vis-à-vis de la biographie : c'est sa propre utilisation de ce genre dans ses essais critiques. Là, nous pouvons voir les traits qui distinguent très nettement sa conception de la biographie de celle de Strachey. En effet les questions qu'elle pose, par exemple, dans son article « The Pastons and Chaucer », paru dans *The Common Reader I*, sont les suivantes : « Quel effet cela vous ferait-il d'être cette espèce de personne à cette époque ? Quel effet cela vous ferait-il de lire Chaucer en manuscrit dans une pièce enfumée pleine de courants d'air, à la fin du Moyen Age ? » Des interrogations de ce genre visent à susciter ce que nous appelons l'empathie, c'est-à-dire quelque chose de radicalement différent de ce que Strachey cherchait à obtenir.

La démarche de Strachey, à mon avis, comportait trois étapes : d'abord, en tant qu'historien spécialiste, il réunissait ses sources et les étudiait ; puis, d'une façon purement logique, selon un procédé inductif, il échafaudait une image de ce que pouvait bien être le personnage étudié ; la troisième étape consistait à transférer cette image dans la page écrite, à ne retenir que ce qui confirmait sa vision retenue et à ignorer le reste. Ces éliminations, l'émondage des irrégularités de contour, étaient nécessaires à la production d'une œuvre d'art mais, du même coup, elles introduisaient un élément falsificateur pour aboutir à un portrait parfait, aux lignes nettes. Les contours incertains de la vie n'apparaissent jamais chez Lytton Strachey, tout y est sans bavure. Il laisse le sentiment qu'on peut dominer l'image du personnage, mais non pas s'installer à l'intérieur ; l'impression qu'on le regarde de haut et qu'on en sait plus sur lui qu'il n'en savait lui-même. Virginia Woolf procède tout autrement. Elle recourt à des moments d'intuition empathique, qui donnent au lecteur l'impression d'être devenu lui-même pour un instant la personne dont il s'agit.

Gabriel MERLE : Je vous remercie de cet excellent complément à ce que j'ai indiqué trop vite en parlant d'une différence de ton entre Lytton et Virginia. Il est certain qu'il était beaucoup plus professoral qu'elle, mais vous avez raison de souligner aussi chez lui un certain usage de la sélection, du découpage quelquefois arbitraire dans les sources. Et je ne plaide pas entièrement coupable, car je crois bien avoir parlé aussi d'une interrogation fondamentale qui fut toujours celle de Virginia : Qu'est ce que la vie ?

Après une interruption de séance, Anne Heurgon-Desjardins suggère que Gabriel Merle continue à parler de l'homme Strachey. Cette proposition reçoit l'approbation générale. Gabriel Merle indique qu'il ne s'agit que d'un exposé ex tempore; il le concentrera sur les relations originales de Lytton Strachey et Dora Carringtong, parce qu'à un certain moment Virginia Woolf y joua un rôle décisif.

Gabriel MERLE : Dora Carrington était peintre. Strachey l'avait connue en 1916, dans une maison amie où ils passaient le week-end. Elle avait 23 ans et lui 36. Le corps de Dora était juvénile, un peu masculin. Le premier jour, lors d'une promenade après déjeuner, comme Lytton avait essayé de l'embrasser, elle avait été très choquée ; le lendemain matin, elle entra dans sa chambre, une paire de ciseaux à la main, avec l'intention de lui couper la barbe; mais au moment où il ouvrait les yeux, on raconte qu'elle est tombée amoureuse de lui et que ce fut un vrai coup de foudre. Depuis ce jour jusqu'à leur mort, en 1932, il semble qu'il n'y ait eu aucune défaillance dans l'authentique passion de Carrington pour Lytton Strachey. En dépit du milieu où elle vivait, elle était vierge et elle en souffrait. Sa rencontre avec un homosexuel militant rappelle un peu celle de Virginia Woolf lorsque Lytton Strachey lui proposa le mariage. Mais Carrington, femme très sensible, n'avait ni l'intelligence, ni la culture de Virginia. En revanche, elle était fort têtue ; ayant décidé que Lytton Strachey était l'homme qu'elle aimait, elle a fait l'impossible pour qu'il eût besoin d'elle. A cette époque, il écrivait *Eminent Victorians.* Il lui fallait pour cela deux années de loisir, et, par conséquent, lâcher le *Spectator* et ce travail de tâcheron qu'est le journalisme littéraire, avec son article à terminer chaque semaine. Pour assurer cette liberté, il a dû emprunter de l'argent à des amis plus riches, et à sa propre mère (dont il n'héritera qu'en 1928, quand il n'en aura plus besoin). C'est Carrington qui eut l'idée de s'installer avec lui dans la campagne anglaise, après avoir découvert une maison tranquille où ils se sont installés tous les deux. Au départ, elle souhaitait vivement d'être épousée, mais il fallait d'abord qu'elle devînt sa maîtresse. Il y eut entre eux, à ce propos, des scènes poignantes : il semble que Lytton ait essayé de satisfaire au désir de Dora, mais chaque fois il se sentait péniblement inhibé. En insistant davantage, il aurait sans doute réussi. Il préféra renoncer, mais il accepta de s'installer avec elle à Tidmarsh, où ils ont vécu toute l'année 1918 et qui est devenu pour un temps comme une annexe de Bloomsbury.

En 1919, à ce couple insolite vint s'adjoindre un jeune homme de 23 ans, qui s'appelait Rex Partridge et que dès le début – c'était assez son habitude – Lytton décida de prénommer Ralph. Partridge revenait de la guerre, avec le grade de major, fort élevé pour un garçon de son âge. Il sentait encore l'odeur de la poudre et ne fut pas tout de suite à son aise dans un milieu pacifiste. Mais assez vite il comprit, lui aussi, que cette espèce d'animal étrange, avec sa barbe, était quelqu'un d'extrêmement respectable, pour qui il éprouvait beaucoup d'admiration. Lytton fut certainement amoureux de Ralph, mais, comme quinze ans plus tôt pour Thoby, il dut se contenter de cultiver des sentiments platoniques, car le jeune major, dès le début, se mit à courtiser Carrington, laquelle plus que jamais brûlait de passion pour Lytton. Ce drame racinien dura jusqu'en 1921, le temps pour Strachey d'écrire sa *Queen Victoria*. Partridge était un fort bel homme, très athlétique, qui avait beaucoup de succès féminins. Il enrageait de voir que Carrington lui résistait. Finalement, elle accepta d'aller vivre avec lui à Gordon Square, mais l'épreuve fut pénible, car ils ne revenaient à Tidmarsh que pour le week-end et Dora restait profondément fidèle à Lytton. Ses lettres sont même un peu fatigantes par le caractère insistant d'une véritable adoration. De son côté, Lytton s'habituait mal à vivre loin de Carrington, qui comme maîtresse de maison s'était rendue indispensable.

C'est alors qu'assez curieusement est intervenue Virginia Woolf, au printemps de 1921. Ralph Partridge véritablement n'en pouvait plus. Un jour, il s'est ouvert de la situation à Virginia et à Leonard, pour lesquels il travaillait à la Hogarth Press. Leonard lui conseilla de mettre à Carrington le marché en mains, en la menaçant de quitter le pays si elle ne l'épousait pas. Virginia ajouta que, d'après les confidences qu'elle avait reçues de Lytton, si Ralph quittait l'Angleterre, Lytton se détournerait de Carrington. C'est ce que Ralph devait faire comprendre à Carrington. En effet, l'argument fut décisif, et elle accepta le mariage qui eut lieu en mai 1921.

Le rôle de Virginia dans cette affaire a été noirci par certains biographes, tandis que Quentin Bell défend les intentions de sa tante. Et j'ai moi-même pensé longtemps qu'elle pouvait n'avoir songé qu'au bien de Lytton, à sa tranquillité. Jusqu'au jour où je suis tombé sur une lettre de Virginia à Vanessa, à la même époque, où elle dit en substance : « Ne le répète pas surtout, mais Gordon Square est en crise ; ils sont à couteaux tirés, du moins je l'espère ». Il est difficile, après cela, de ne pas faire place à quelque malveillance dans les conseils de Virginia à Ralph Partridge.

Ce qu'il y a de sûr c'est qu'après avoir accepté d'épouser Partridge, Dora a écrit à Lytton, qui se trouvait alors en Italie, une lettre très pathétique, où elle lui disait : « Cher Lytton, je savais que ma vie avec toi serait de toutes façons une vie limitée. Ah que c'est triste que tu n'aies pas l'usage de mon amour, que mon amour ne puisse te servir à rien ! ». Elle rappelle de quelle manière, entrant dans sa chambre quand il dormait, elle contemplait son visage, les poils de sa barbe. Certes elle fait allusion aussi aux confidences qu'il a pu faire à Virginia et dont celle-ci à tiré parti, mais c'est pour ajouter aussitôt : « Je ne voudrais pas être une sangsue ».

Pour se disculper, Lytton ne fut pas très élégant. Il répondit à Carrington : « Je croyais qu'il était entendu qu'on ne prend pas pour argent comptant ce qui vient de Virginia ». La jeune femme accepta l'excuse, mais il est clair qu'un mariage décidé dans des conditions comme celles-là ne pouvait être très heureux. Assez vite, Carrington devint la maîtresse de Gerald Brenan et elle eut ensuite d'autres amants, mais elle est toujours restée la compagne de Lytton et il semble que les hommes qui ont successivement traversé sa vie n'aient été, en fin de compte que des palliatifs.

Anne HEURGON-DESJARDINS : Ce qui me surprend est que Lytton, au total assez peu sympathique, ait été tant aimé.

Gabriel MERLE : Finalement, c'est parce qu'en dépit des apparences, il était capable d'aimer à sa manière, mais aussi parce qu'entre les femmes et lui il n'y a jamais eu de problèmes de compréhension. Certes il avait l'écorce rude, l'ironie mordante, mais il savait aussi être quelquefois d'une très grande gentillesse. Je crois que sa nature était foncièrement bonne. En tous cas ses sœurs l'ont véritablement adoré, aussi bien Dorothy que Philippa. Lui-même, dans un essai assez peu connu, intitulé *Lancaster Gate*, et qui n'a été publié que récemment, raconte comment, encore enfant, il n'allait jamais se coucher sans que Dorothy l'eût embrassé cent fois. Quant à Virginia, je trouve très significatif qu'après son mariage manqué avec Strachey, lorsqu'après avoir été courtisée par Walter Headlam, qui aurait pu être son père, elle le fut par Hilton Young, qui paraissait un excellent parti, elle lui ait déclaré : « Je n'épouserai jamais personne d'autre que Lytton Strachey ». Certes, elle a changé ensuite d'avis. Mais il reste que Lytton avait en quelque sorte une personnalité charismatique...

Maurice de GANDILLAC : Savez-vous ce qu'il a pensé de son passage à Pontigny ?

Gabriel MERLE : Il n'en a pas dit grand chose. Je crois qu'il a été un peu agacé. Il se peut qu'il ait trouvé un peu pompeux le sujet de la décade de 1923, « Y-a-t-il dans une poésie nationale un trésor réservé inaccessible aux étrangers ? ». C'était là pourtant un problème qui pouvait l'intéresser, lui qui passait en Angleterre pour le grand spécialiste de la littérature française. En 1912, à l'âge de 32 ans, il avait écrit un précis de la littérature française, qui est un bon manuel d'introduction pour des étudiants étrangers. Je crois néanmoins qu'il lui manquait une véritable familiarité avec la langue elle-même ; il connaissait le français comme on connaît le latin. Il était incapable de prononcer plusieurs phrases de suite en français et avec son beau-frère Simon Bussy, par exemple, la communication était toujours difficile. En revanche, il savait par cœur des milliers de vers français, en particulier tout le théâtre de Racine, ce qui lui fournissait tout un lot de citations à introduire dans la conversation, mais dans le français du XVIIe siècle. Maurois raconte qu'à Pontigny un des meneurs de jeu (était-ce Paul Desjardins ou André Gide ?) ayant demandé à Lytton : « Et vous, Monsieur Strachey, quel est selon vous la chose la plus importante du monde ? », derrière sa barbe et sur un ton à demi assoupi, il répondit : « Passion », et cela sur le ton le moins passionné qui fût, ce qui provoqua, bien entendu, un grand éclat de rire. Permettez-moi de terminer cette trop longue évocation sur une anecdote qui remonte au temps de Cambridge.

Lytton s'était amusé un jour, avec Thoby Stephen, à composer leurs épitaphes respectives. Lytton proposa, pour la tombe de Thoby, *The forlorn hope* ; la formule désigne, en langage militaire, les enfants perdus, sacrifiés. Effectivement Thoby devait mourir très prématurément. Mais lui-même avait dit qu'il écrirait sur la tombe de Strachey, *The universal exception.* Exception universelle ou paradoxe universel, il est certain que la formule convient parfaitement à cet homosexuel que les femmes ont tant aimé.

Margaret WILSON : La loi en Angleterre, à cette époque, était encore très stricte contre les homosexuels, et l'opinion publique leur restait très hostile. Lytton a-t-il jamais senti qu'il courait le risque de s'embarquer dans une affaire analogue à celle d'Oscar Wilde ?

Gabriel MERLE : En fait ce qui arriva à Oscar Wilde est quelque chose d'exceptionnel. L'homosexualité était très répandue et des milliers d'invertis ont échappé à la loi. Il y a eu chez Wilde beaucoup de provocation à l'égard de l'*establishment.* Etait-ce pure bravade ou volonté de se punir lui-même ? C'est un point sur lequel on peut discuter. Mais en ce qui concerne Lytton, on peut considérer que Cambridge d'abord, et ensuite Bloomsbury, furent pour lui des sortes de cocons. Plus tard, pendant la guerre, quand ses lettres pouvaient être ouvertes par la censure, il se montra quelquefois assez prudent, notamment dans sa correspondance avec son frère James qui était alors à Moscou. On lit, par exemple, des phrases comme celle-ci : « Bien sûr, si on lisait nos lettres, on pourrait croire que ces abominations dont nous parlons nous concernent... ».

Hermione LEE : Vous avez qualifié Lytton Strachey d'homosexuel militant. En réalité, ni dans ses livres, ni dans sa vie, je ne trouve d'allusion à une action publique en faveur de l'homosexualité.

Gabriel MERLE : Je voulais dire actif, ou pratiquant.

Liliane METTETAL : Pourquoi n'a-t-il pas fait la guerre ?

Gabriel MERLE : Sa santé était fragile et finalement il a été réformé. En outre, il était objecteur de conscience. Dans une lettre à son frère James, qui n'est connue que depuis peu, il avoue que, parmi ses motifs, à côté de raisons plus nobles, il a pu y avoir aussi des raisons égoïstes. Mais il conclut avec grand courage : « Si l'on voulait m'obliger à travailler dans une usine d'armement, je préférerais aller en prison ».

Jean GUIGUET : A propos du rapport, souvent excellent, entre les homosexuels et les femmes, permettez-moi de revenir à Virginia Woolf. Il y avait chez elle quelque chose d'androgyne que pouvait séduire le charme de Lytton.

Gabriel MERLE : Le cas limite est celui de Carrington, qui n'a pu lui survivre. Lytton est mort le 20 janvier 1932; le 10 mars, elle s'est donné la mort. Son mari l'avait quitté depuis longtemps pour vivre avec Francis Marshall qu'il a épousée ensuite. Mais Carrington était fort entourée. Il y avait James et Alix Strachey, parfois les Woolf, Desmond Mac Carthy qui, sentant le danger de la laisser seule, lui avait demandé de rassembler les lettres de Lytton pour l'occuper. Mais alors qu'on croyait qu'elle commençait à se ressaisir, le lendemain d'une visite de Leonard et de Virginia justement, elle s'est tiré un coup de fusil, de façon d'ailleurs maladroite, et elle est morte après six heures d'abominables souffrances.

VI. – REFLEXIONS AUTOUR D'UN THEME : VIRGINIA WOOLF ET L'EAU

par Marie-Paule VIGNE

Les quelques réflexions qui vont suivre regroupent divers éléments d'un travail en cours dont le point de départ fut sans doute la coïncidence étrange – et qui n'est peut-être que l'effet du hasard – entre la mort de V. Woolf et la place tenue par l'eau dans son œuvre.

Nous croyons, en effet, le thème de l'eau essentiel dans cette œuvre, et il sera tentant d'y chercher diverses significations, au niveau conscient ou inconscient de la création, et d'analyser la nature de cette eau, sa part d'angoisse tragique, mais aussi sa richesse et son dynamisme positifs. Nous voudrions éviter tout dogmatisme, cependant, et ne jamais perdre de vue la simple vérité qu'un symbole – ou un thème – vaut avant tout par ce qu'il *est* ; comme l'oracle de Delphes (selon Héraclite), « il me dit, ni ne cache rien, il signifie » ; ce que nous exprimerions ainsi : il renvoie à autre chose, mais cette autre chose ne saurait être enfermée dans une formule, ni se dire avec des mots.

L' œuvre : prédominance de l'eau

Je souhaiterais apporter à ceux qui n'auraient pas été sensibles à l'importance du thème de l'eau, des preuves aussi scientifique rigoureuses que possible. Nous avons donc commencé par recenser les images et le vocabulaire de l'eau – tâche ingrate, s'il en est, surtout lorsque la beauté, la séduction du texte appellent à une lecture tout autre ! Ayant totalisé des chiffres, il a fallu alors trouver un terme de comparaison auquel se référer puisqu'il n'y a pas de normes en ce domaine, qu'il n'existe pas de dictionnaire de fréquence « moyenne » du vocabulaire, tout au moins à ce jour. Le plus logique, sinon le plus simple, était donc de recenser également le vocabulaire des autres éléments, de la lumière, de l'air, de la terre, de la végétation... en tenant compte aussi d'autres domaines : la maison, les objets mécaniques (la roue, l'horloge), les objets tranchants, etc. Travail long et ardu, mais qui a l'avantage de donner une vue d'ensemble de l'univers cosmique de V. Woolf.

Voici donc, résumés brièvement, les résultats obtenus : pour la totalité des romans, l'eau occupe à elle seule presque *la moitié* du vocabulaire cosmique : 48 % (4.500 mots environ) contre 52 % (4.850) pour tous les autres éléments *réunis*.

L'eau arrive en tête du classement dans *tous* les romans pris individuellement, et dans cinq romans sur les neuf, elle occupe à elle seule une place plus importante que l'ensemble des autres éléments : 52 % dans *la Traversée des apparences*, 53 % dans *la Chambre de Jacob*, 54 % dans *Années* et une proportion des 2/3 dans *Orlando* et *la Promenade au phare*.

D'ores et déjà, ces résultats, tout en confirmant notre hypothèse de départ, permettent de la nuancer en constatant deux choses : la grande richesse de l'imagination cosmique, où d'autres thèmes ont aussi une place à part : le soleil et l'arbre, par exemple; et l'absence d'un déséquilibre excessif. L'eau est l'élément prioritaire, mais dans des proportions qui ne permettent sans doute pas d'aller jusqu'à parler d'une obsession : il n'y a pas de déséquilibre vraiment *pathologique* de l'imaginaire chez V. Woolf. L'eau devra donc être étudiée comme un élément privilégié *parmi les autres*.

Ce sont évidemment là des conclusions tirées de chiffres, qui se veulent objectives. Elles méritent peut-être d'être un peu corrigées par des impressions plus spontanées : sans doute il s'attache aux images d'eau une puissance d'évocation qui les rend qualitativement plus fortes, mais nous sortons là du domaine de ce qui peut se mesurer et se prouver.

On pourra objecter que, sur les neuf romans, quatre au moins se prêtaient tout naturellement à ce genre de démonstration, puisque leur « décor » – disons plutôt leur espace textuel – est un espace marin : croisières dans *la Traversée des apparences*, Cornouailles dans *la Chambre de Jacob*, océan et phare dans *la Promenade au phare*, vagues « toujours recommencées » dans *les Vagues*. Il est normal, dira-t-on, qu'il y ait un grand nombre de termes aquatiques dans ces livres. Mais alors, que penser de *Mrs. Dalloway*, le « roman de la ville de Londres », comme certains l'ont hâtivement baptisé, dont le cadre est sans rapport logique avec la mer, et où l'eau occupe tout de même la moitié du vocabulaire cosmique ? C'est qu'il s'agit bien cette fois d'images, de métaphores, et non de banales ou prévisibles références au décor. Il s'agit bien d'une eau *imaginée*. La ville de Londres elle-même finit par être perçue comme une vaste métaphore aquatique : on part d'un cliché, *the ebb and flow of things* (« le flux et le reflux des choses »), pour arriver aux mots *murmuring London flowed up to her* (« la rumeur de Londres montait vers elle comme une vague »). Le roman tout entier est traversé par le thème de la vague et par le carillon de Big Ben, qui finiront par se confondre. Petit à petit le thème va évoluer, s'enrichir, se préciser : d'abord les cercles de plomb, puis l'apparition des mouettes, ensuite *the flow of the sound* (« les flots du son », ou « l'écoulement du son »), puis *the sound of Big Ben flooded Carissa's drawing-room* (« le son de Big Ben inonda le salon de Clarissa ») ; c'est alors l'identification avec cette vague qui, depuis un moment, rythme déjà les pensées de Clarissa, et désormais les cloches et carillons de Londres ne seront plus que des vagues qui dansent ou des vagues qui s'épuisent. Londres, « carnaval de bateaux », Londres avec ses taxis qui s'engouffrent autour des arches des ponts comme des fétus de paille dans le courant, avec des omnibus pareils à des vaisseaux qui se balancent, Londres, « cité submergée »...

On pourrait encore donner d'autres exemples de cette omniprésence de l'eau : ces paysages qui se laissent imprégner d'eau peu à peu, comme certains tableaux de peintres, ces champs de blé du petit cimetière de campagne dans *la Chambre de Jacob* ou celle qui tombe en cascades vertes entre les racines des arbres dans *Entre les actes*, et qui fait songer à certaines pages de Proust.

Enfin, il faut rappeler l'extrême fréquence d'images d'eau dans l'œuvre *non* romanesque, dans le *Journal*, dans les textes critiques ou polémiques[1]. Sans cesse ces images surgissent pour illustrer la pensée ; elles deviennent des tics, des manies. Et l'on pourrait sans doute constater que V. Woolf, en corrigeant ses brouillons, en a supprimé un bon nombre, comme si elle avait eu le sentiment que cela devenait une mauvaise habitude[2].

Nous espérons, par ces quelques remarques, avoir clairement établi l'importance du thème de l'eau dans l'œuvre.

L'eau et la vie : données biographiques

Le fait le plus marquant est incontestablement l'enfance et la Cornouailles. On sait que Leslie Stephen avait acheté une maison à St. Ives juste avant la naissance de Virginia. C'est là que tous les ans, au moment des vacances, les enfants connaissaient le bonheur des jeux sur la plage et retrouvaient la mer, devenue très tôt familière et amicale. Ce bonheur fut brutalement interrompu par la mort de la mère – Virginia avait alors treize ans – et Leslie Stephen vendit alors la maison de St. Ives.

Désormais les séjours au bord de la mer ne seront plus qu'épisodiques, mais les enfants Stephen, et plus tard Virginia et Leonard Woolf, continueront à trouver l'occasion de passer des vacances sur la côte : à l'île de Wight, à Rye, à Studland, en Cornouailles à nouveau, chez les nombreux amis et relations. Il y aura, en particulier, la maison des Arnold-Foster, à Zennor, tout près de St. Ives. Bâtie à flanc de falaise, elle surplombe la baie et l'on aperçoit le phare de Godrevy. Virginia écrit à Angus Davidson : *We look down into the heart of the Atlantic from our bedroom. All my facts about lighthouses are wrong* ! (« De notre chambre notre regard plonge au cœur de l'Atlantique. Tout ce que je croyais savoir sur les phares est faux ! »). Leonard Woolf a confiance dans le pouvoir bienfaisant de la Cornouailles et par deux fois, au moment de ses crises, il ramènera Virginia sur les lieux de son enfance. N'a t-elle pas écrit dans son journal que la poésie de l'existence était liée à St. Ives et à la mer ? (*Writers's Diary*, p. 56).

Les Woolf habiteront tour à tour deux maisons dans le Sussex, peu éloignées, elles aussi, de la mer – Asham d'abord, puis, à partir de 1919, Monk's House à Rodmell, Monk's House avec le bassin peuplé de poissons, comme celui d'*Entre les actes*, et la rivière Ouse non loin. La chambre de Virginia donne directement sur les prairies qui sont susceptibles d'être inondées à certaines saisons. Le spectacle insolite des champs recouverts par les eaux, avec une multitude d'oiseaux aquatiques, est d'une émouvante beauté. En janvier 1936, elle note dans son journal l'effet apaisant d'une promenade jusqu'aux prairies inondées et, en novembre 1940, lorsqu'une bombe a fait sauter un barrage, elle écrit : *Oh may the flood last for ever. A virgin lip : no bungalows; as it was in the beginning* (« Oh, puisse l'inondation durer à jamais ! Un espace vierge ; pas de villas ; comme il était au commencement. »).

Rien d'étonnant, par conséquent, si V. Woolf aime tout naturellement le monde de l'eau et l'observe de près. Chez cet écrivain si peu « réaliste » on a la surprise de trouver sans cesse des notations d'une fidèle exactitude, soit qu'elle évoque la gerbe d'écume qui jaillit à intervalles derrière le rocher et que l'on guette en retenant son souffle, ou les tourbillons du courant autour des piles d'un pont, ou encore, avec le don des mots qui est le sien, *the flap of a wave ; the kiss of a wave* (« le battement d'une vague, le baiser d'une vague »). Les exemples seraient innombrables.

Rien d'étonnant encore si les comparaisons aquatiques lui viennent spontanément à l'esprit, et si elle associe volontiers telle dame de la bonne société avec une sirène ou une otarie. Mais le mimétisme joue dans les deux sens, car ce sont aussi des associations aquatiques qui viennent spontanément à l'esprit de ses amis lorsqu'ils songent à elle : David Cecil songe également à une sirène lorsqu'il la voit pour la première fois, tandis que Lytton Strachey, nous apprend Holroyd, la compare à quelque créature des mers profondes.

Et le plus curieux encore, c'est l'impression unanime de tous les témoins qui se rappellent les lieux où V. Woolf a vécu[3] :

In common with all the houses which Virginia made her own there was a suggestion in it of a timeless, underwater world. (David Garnett, à propos d'Asham)[4].

There [Tavistock Square] one seems to move about among books and papers as among the rocks and ledges of that submarine cave of which the characters in her books are always dreaming. (Winifred Holtby)[5].

The dining-room at Monk's was sunk below the level of the garden and dimly green like a fish-pond. It had an aquarium in a corner. [...] The house was like a seashell through which the water flows. (Angelica Garnett)[6].

Tout dans la vie de V. Woolf évoque le monde de l'eau. Dans la vie, et jusque dans la mort. Il y a dans cette fin, dans ce choix ultime de l'eau, plus qu'une coïncidence troublante : comme une confirmation éclatante. Mais peut-on parler de choix ? La mort de V. Woolf s'inscrit si parfaitement dans la logique du personnage et du destin qu'il n'est pas facile de résister à un lyrisme romantique ou à des conclusions arbitraires.

Et c'est oublier sans doute que le moyen adopté pour se suicider n'est-peut-être que le résultat du hasard, ou, tout au moins, des circonstances (dans le cas, la rivière à proximité), et qu'en toute éventualité, le *moyen* importe moins que le simple *fait* de se donner la mort. Tout romantisme n'est-il pas hors de propos devant un acte aussi rationnel que le suicide de V. Woolf ? C'est oublier encore – statistiques à l'appui – que le recours à la noyade n'est pas rare chez les suicidaires, surtout chez les femmes, et plus particulièrement en Angleterre et chez les psychopathes[7]. Le personnage d'Ophélie n'est-il pas pour Bachelard le symbole du suicide féminin, qui retrouve dans l'eau « son propre élément » ? Sans doute faut-il se rappeler que ce suicide est en réalité la troisième tentative de V. Woolf, et que précédemment elle avait sauté d'une fenêtre ou absorbé du véronal, c'est-à-dire qu'elle avait eu recours à d'autres moyens, qui avaient échoué.

Et pourtant il demeure un point troublant. Ce n'est pas simplement le fait qu'elle a vraisemblablement dû s'y reprendre à deux fois, ayant, d'après le témoignage de Leonard Woolf, fort probablement tenté de se noyer quelques jours plus tôt, lorsqu'il l'avait rencontrée, trempée et hagarde, ayant, avait-elle prétendu, glissé dans un chenal... C'est, bien plus que cela, l'incertitude, le côté *précaire* du moyen adopté : car enfin V. Woolf savait nager, et l'instinct de vie est puissant Et c'est alors que l'on comprend tout le sens de ces pierres dont elle a dû emplir ses poches pour être sûre de couler, toute la détermination qu'il y avait dans ce geste, dans ce souci d'efficacité, et combien cette mort par l'eau n'en est que plus obstinée et plus poignante.

Alors, ayant pesé le pour et le contre des arguments, on songe à nouveau malgré tout à l'écho prophétique de tant de phrases qui jettent une étrange lueur sur cette fin : *I shall go down with my colours flying* (« Je sombrerai pavillon haut »), c'est la dernière page du *Journal ; I ride rough waters and shall sink with no one to save me* (« Je vogue sur des flots agités et, quand j'irai au fond, nul ne sera là pour me sauver »), (trad. de M. Yourcenar) c'est Rhoda qui parle ;... *how we go down into the pit of death and feel the waters of annihilation close over us* (« ... comment on descend au fond du puits de la mort et on sent les eaux de l'anéantissement se refermer au-dessus de soi »), dans l'essai sur la maladie ; et surtout, on s'en souvient, cette phrase écrite en 1931 dans une lettre à John Lehmann : ... *as in fifty years I shall be under the pond, with the gold fish swimming over me, I dare say these vast ambitions are a little foolish* (« ... mais comme, dans cinquante ans, je serai sous l'eau du bassin, avec les poissons rouges nageant au-dessus de moi, je suppose que ces grandes ambitions sont un peu ridicules »).

Les messages de l'eau : symboles conscients

Après ce rappel des faits biographiques, il est temps de revenir à l'œuvre pour essayer à présent d'interroger ses symboles. Il nous semble que cette lecture peut se faire à plusieurs niveaux; d'abord celui que j'appellerai, faute d'un meilleur terme, le niveau du symbolisme conscient. Il semble impossible, en effet, qu'un écrivain comme Virginia Woolf, qu'on qualifie volontiers d'intellectuelle, dont on connaît la lucidité, la culture, et le souci constant d'analyser son propre travail de création, ait ignoré les possibilités offertes par le symbolisme si multiple de l'eau. Certes il ne s'agit pas de chercher un sens philosophique ou autre, une définition, ni même à proprement parler une interprétation ; il faut se garder de ces démarches rassurantes pour l'esprit. V. Woolf, on le sait, avait horreur des formules et des thèses philosophiques. Et c'est peut-être déjà trop dire que de parler de sa « vision du monde », dont l'eau – sous toutes ses formes – serait comme le « corrélatif poétique ». L'eau sous toutes ses formes, car l'eau n'est pas seulement, en commun avec les autres éléments naturels, ambivalentes, elle est également, plus et mieux que les autres éléments, innombrable et diverse. Car si le feu est presque toujours pareil à lui-même, l'eau peut être tour à tour rivière ou fontaine, océan ou flaque minuscule, pluie ou goutte, glace ou brume. N'est-ce pas cette multiplicité de formes, qui peut tout dire et où chacun peut lire ce qu'il veut, qui fait de l'eau l'élément privilégié de la rêverie ? Et, de même qu'il ne nous faut pas chercher à expliquer *le* phare, parce qu'il n'y a pas *un* phare, pas plus qu'il n'y a *un* amour – *nothing was simply one Thing* (« rien n'est simplement une seule chose ») – de même l'eau n'a pas *un* sens, et il n'y a pas *une* eau. Mais il est peut-être tentant de rassembler autour de quelques grands vecteurs quelques-uns de ces sens.

Le fleuve du temps

J'évoquerai donc quatre aspects, parmi d'autres, de ce symbolisme conscient. Et, tout d'abord, l'aspect le moins original sans doute, l'eau – le fleuve, le courant – comme symbole du temps, du devenir, de la *dissolution perpétuelle*. « L'être voué à l'eau est un être en vertige », écrit Bachelard, « il meurt à chaque instant, sans cesse quelque chose de sa substance s'écroule ». Et c'est dans ce grand fleuve héraclitéen que sont plongés les personnages de V. Woolf, voués à un destin d'autant plus irrévocable que la pensée moderne a substitué l'image du flux rectiligne et irréversible à celle du temps cyclique auquel croyaient les Grecs. *Our lives stream away* (« nos vies s'écoulent et s'éloignent »). L'instant – cet « ici et maintenant » de la vie – renaît sans cesse et, avec lui, sa plénitude imminente, mais, à peine le bonheur est-il touché, le contact sur le point de s'établir, qu'aussitôt il se brise et s'éparpille, emporté à jamais... Et nous *sommes* aussi ce fleuve, celui des émotions fugitives, des intermittences du cœur, qui se défont et se reforment perpétuellement : *I am made and remade continually* (« Je me fais et me défais sans cesse »).

L'angoisse woolfienne réside là : en cette fuite de toute chose, cette dépossession permanente. Une variante de cette angoisse, également liée à cette absence de point fixe, est celle d'une ingouvernable *légèreté* : sans ancrage, l'être flotte à la dérive, il ne sait où s'accrocher dans le tourbillon des flots. Eparpillé, dispersé éclaté en mille reflets, privé, tel l'écume, de substance solide, de visage, d'identité... C'est tout le vertige de Rhoda.

La vague et la marée

Un deuxième aspect est celui de l'alternance et du dualisme, dont la meilleure représentation est la vague ou le mouvement de la marée. C'est cette constante allée et venue, ce flux et ce reflux entre des pôles opposés, si caractéristique de la pensée woolfienne : entre la joie et le désespoir, l'euphorie et l'angoisse, la présence et l'absence, l'unité et la dispersion... On est tour à tour porté par la vague, soulevé jusqu'au sommet, ou plongé jusqu'au fond du *creux*. Dualisme qui finit peut-être par se résoudre en une dialectique de l'alternance. On songe à T. S. Eliot, à Baudelaire, pris entre « l'horreur de la vie » et « l'extase de la vie ».

Ce sont aussi les allées et venues spatio-temporelles entre le monde extérieur et le monde intérieur.

Et les pulsions fondamentales de l'être, ou du corps : *the tides of the body, the tides of the blood* (« Les marées du corps, les courants du sang »). Amour et haine, attirance et répulsion, acceptation et refus, se chassent mutuellement ; on bascule de l'un à l'autre, comme en perpétuel déséquilibre, tant est fragile la marque qui sépare un sentiment de son contraire.

La profondeur

Un troisième aspect, peu original là encore, est celui de la profondeur, cette troisième dimension qui propose une autre forme de dialectique, celle de la surface et du fond. C'est le psychisme humain dans son ensemble qui trouve ici sa représentation, de la surface sensible qui frémit au moindre signal perçu jusqu'aux sombres profondeurs d'un inconscient impersonnel et universel. Entre les deux, c'est tout un espace translucide et mystérieux (l'espace de la rêverie – ou de la mémoire – *des* mémoires) qui est suspendu en un délicat équilibre, comme enserré dans un filet. Le poisson y joue un rôle de médiateur – image de la conscience montant et descendant entre surface et fond, entre le monde extérieur offert aux perceptions et le « moi » profond de l'être intérieur :

Our soul, our self, who fish-like inhabits deep seas and plies among obscurities threading her way among the boles of giant weeds, over sun-flickered spaces and on and on into gloom, cold, deep, inscrutable ; suddenly she shoots to the surface and sports on the wind-wrinckled waves...[8]

songe Peter Walsh dans *Mrs. Dalloway*. Là encore, les possibilités offertes sont très riches : le puits, la boue, l'opaque, la flore sous-marine, les précieux trésors, épaves de bateaux naufragés, etc. L'eau est, au sens propre, un véritable *réservoir d'images...* Ne serait-elle pas, en définitive, le support, le véhicule, le *contenant* de tout cet imaginaire que nous sommes en train de morceler en aspects distincts ? Symbole des symboles, symbole à la deuxième puissance en quelque sorte ?

La fluidité

Pourtant un quatrième aspect mérite encore qu'on s'y attache un peu, car nous pensons que c'est le plus personnel, le plus caractéristique de V. Woolf : c'est l'eau en tant que principe même de toute fluidité, l'eau qui s'infiltre et pénètre, l'eau qui se vaporise en une fine brume pour se mêler aux autres éléments : l'eau de la communication, une eau subtile, intuitive, féminine.

La brume, en effet, estompe les contours, donc efface les lignes de démarcation et, telle la peinture impressionniste, fond les masses et les formes :

But when we sit together, close, we melt into each other with phrases. We are edged with mist. We make an unsubstantial territory[9].

Et, dans *Entre les actes,* ce qui sépare Mrs. Swithin de son frère, ce n'est pas un mur, c'est tout au plus une brume (*not a barrier, but a mist*).

Ce sont des images d'eau qui vont servir à exprimer l'élan du cœur, le jaillissement de la vie spontanée – *flowing and merging*, « fluer et se fondre » (« fluence et fusion » en serait un équivalent pédant), selon les mots de Mrs. Ramsay. *Why can't he flow ?* (« Pourquoi donc n'arrive-t-il pas à fondre ? ? – littéralement « à couler »), demande-t-on à propos d'un personnage dans *Années* ; ne pas couler, c'est être bloqué, c'est être aride, desséché, tari.

La perfection de l'union, c'est en ces termes que Lily Briscoe va l'évoquer :

What device for becoming, like waters poured into one jar, inextricably the same, one with the object one adored ?[10]

Car les eaux se mêlent *intimement*. Et ces images d'intimité s'associent volontiers avec d'autres notions voisines : celles d'ondes, de vibrations, de rayonnement, de perméabilité – privilège et secret de l'élément féminin. On se souvient de ce passage de *Mrs. Dalloway :*

It was something central which permeated ; something warm which broke up surfaces and rippled the cold contact of man and woman, or of women together[11].

Ce quelque chose de central qui communique aux surfaces, aux épidermes, son frémissement intérieur, cette *liquidité chaude* n'est pas sans rappeler un passage du discours de Rhoda dans *les Vagues :*

There is some check in the flow of my being ; a deep steam presses on some obstacle ; it jerks ; it tugs ; some knot in the centre resists. Oh, this is pain, this is anguish ! I faint, I fail. Now my body thaws ; I am unsealed, I am incandescent. Now the stream pours in a deep tide fertilizing, opening the shut ; forcing the tight-folded, flooding free. To whom shall I give all that now flows through me, from my warm, porous body[12] ?

On voit qu'ici la métaphore déborde et s'élargit vers l'idée de pénétration et de fécondation, elle se sexualise, pourrait-on dire, et en vient à inclure les autres éléments : le feu, la terre[13].

Arrêtons nous ici pour ouvrir une parenthèse très importante. Par souci de simplification nous avons présenté les choses comme si l'eau était un élément isolé. En réalité, elle n'est qu'un élément parmi les autres, et ses rapports avec les autres éléments sont des rapports de complémentarité, voire d'isomorphisme, ou des rapports d'opposition, selon la situation contextuelle. Or, ces rapports n'ont rien de stable, ils se renversent sans cesse. Ainsi, dans l'extrait que nous venons de lire (la rêverie de Rhoda), l'eau, on vient de le voir, est valorisée *positivement* : c'est le fleuve de vie qui fertilise la terre, tandis que le solide – la racine, le rocher qui fait barrage – est ressenti comme l'obstacle néfaste. Mais dans de nombreux autres cas, où le fleuve, cette fois, est symbole de dissolution et de destruction, l'arbre qui pousse sur sa rive devient alors l'image de la stabilité et de la permanence. Le cosmos de V. Woolf est un réseau d'oppositions *perpétuellement réorganisées*, dans lequel les signes sont ambivalents et interchangeables. Dans le domaine de l'imaginaire il n'y a pas contradiction à ce qu'un élément désigne tour à tour une chose et son contraire, et parfois même les contraires sont perçus simultanément. Ainsi, dans une même page de la *Promenade au phare*, aux résonances proustiennes, la chute monotone des vagues sur la plage scande d'abord un rythme apaisant comme une berceuse, qui semble répéter « Je vous protège, je vous soutiens » ; puis soudain c'est un roulement impitoyable de tambours qui annoncent la destruction et l'engloutissement.

Revenons un instant encore à cette eau qui pénètre le solide, qui l'imprègne et le fluidifie, pour évoquer à ce propos une phrase du récent livre de Christian Delacampagne, *Antipsychiatrie* : « La restauration de la féminité correspond pour lui [il s'agit d'Alan Watts] à celle de la fluidité dans le réseau des communications perturbées [...], à une victoire sur la paranoïa, à une victoire sur la solidification et la rigidité des barrières[14]. »

Voilà donc un rapide aperçu – très incomplet – de ce que nous avons appelé le symbolisme conscient.

Un niveau de lecture plus intéressant serait celui de l'écriture même, de l'œuvre en tant que texte, qui subit l'empreinte de l'eau en un étrange phénomène de mimétisme. Mais ce serait sortir du cadre de l'exposé actuel.

Le niveau de l'inconscient

Un autre niveau encore est celui, plus profond et plus occulte, où les images surgissent dans tout le mystère de leur opacité, le niveau des automatismes, des récurrences, des « métaphores obsédantes » qui finissent par s'imposer à l'attention.

Le moment est sans doute venu de se tourner vers la psychanalyse – mais laquelle ? Le mot est vaste et impressionnant : de Bachelard à Jung, de Freud à Lacan, on hésite quelque peu.

Bachelard, qui n'est d'ailleurs pas un psychanalyste

au sens rigoureux du terme, ne nous sera pas d'un grand secours puisque, de son propre aveu, il connaissait mal la mer, qu'il n'a découverte qu'à l'âge de trente ans. L'eau devant laquelle il rêve est celle des lacs, des étangs. « L'eau, écrit-il, est une invitation à mourir ; elle est une invitation à une mort spéciale qui nous permet de rejoindre un des refuges matériels élémentaires. (*l'Eau et le Rêves*). »

Nous en revenons toujours à la mort, cette eau tranquille qui attendait V. Woolf.

Il est temps de se demander à présent si cette eau omniprésente dans son œuvre est une eau morbide, une eau-de-la-mort.

L'eau de la mort

C'est dans son premier et dans son dernier romans que l'association entre l'eau et la mort est la plus nette. Dans le premier roman (*la Traversée des apparences*), Rachel meurt d'un fièvre tropicale après un long délire qui n'est que le prolongement d'un cauchemar qu'elle avait fait beaucoup plus tôt, où elle se croyait enfermée dans un tunnel, un tunnel *humide* et *suintant*. Au moment de mourir, dans son délire, elle se voit assise « dans un tunnel sous une rivière ». Et puis ce sera l'étang « noir et poisseux », au fond duquel elle sombre tandis que loin au-dessus de sa tête l'océan se referme et elle entend le roulement sourd des vagues. Mourir, pour Rachel, c'est bien être ensevelie sous la mer.

D'*Entre les actes*, on pourrait dire que le livre est centré sur deux points de mire : le théâtre, le spectacle sur la scène, bien sûr, dont le pouvoir fascinant sera même décuplé par le jeu des miroirs, et puis aussi ce « bassin aux nénuphars » au fond du parc, vers lequel les regards et les pas se dirigent lorsqu'il ne se passe rien sur la scène, « entre les actes »... Car cet étang a sa légende : une dame s'y est, dit-on, noyée dans son « centre profond, son cœur noir ». Qu'importe si la dame n'était en réalité qu'un malheureux mouton, comme l'auteur ne manque pas de préciser ensuite avec malice : l'association entre l'étang et la mort est clairement établie dès le départ. Le thème reparaîtra cinq ou six fois : d'abord comme élément du décor minutieusement décrit, puis nous seront montrées les carpes (poissons séculaires...), la boue, les racines, tandis que l'étang lui-même deviendra de plus en plus symbole et métaphore. Les racines s'identifient bientôt avec des os, et la vision s'assombrit encore, se superposant au monde intérieur de Miss La Trobe, dont les « mots ordurieurs descendent tels des vers à travers l'eau ». Nous sommes là en plein univers jacobéen. Et le thème est repris en parallèle par Isa qui formule le vœu d'être recouverte par les eaux du puits ; et, de nouveau, par Miss La Trobe que submergeront les eaux vertes montant de la terre, et dont les mots finiront par tomber dans une boue *fertile*. Car l'eau n'est pas seulement la mort, elle est beaucoup d'autres choses aussi, et cette boue de l'étang est également la boue régénératrice de la fertilité, archétype premier, en quelque sorte, qui fait songer à Jung.

Du concret, on est donc allé au figuré, du décor extérieur au décor intérieur, à l'être profond, et, finalement, à l'enfouissement sous les eaux.

A ces deux exemples, celui de Rachel et celui du bassin aux nénuphars, il convient d'ajouter le thème du suicide, qui tient une certaine place dans l'œuvre de V. Woolf. Souvent sous une forme simplement allusive : on devine, plutôt qu'on n'apprend, que Rhoda, au terme de ses errances intérieures, s'est noyée. Sous une forme symbolique aussi, presque rituelle, contenue dans ces gestes d'offrande ou de sacrifices : shilling que Clarissa jeta autrefois dans la Serpentine, bouquet de violettes éparpillé sous les flots, caillou qui vient briser la sérénité des eaux immobiles... Et puis toutes ces morts par l'eau qui sont imaginées, rêvées, souhaitées – par Lily Briscoe, par exemple :

For she felt again her own headlong desire to throw herself off the cliff and be drowned looking for a pearl brooch on a beach...[15]

ou, assurément, par tant d'autres personnages qui se penchent, fascinés, sur le parapet des ponts...

Un seul suicide se réalise vraiment devant nos yeux, pourrait-on dire, celui de Septimus Warren-Smith ; et ce n'est pas une noyade. Septimus se tue en se jetant d'une fenêtre, comme V. Woolf avait un jour tenté de le faire. Ce n'est pas une noyade, et c'est même tout le *contraire*, puisque Septimus, en tombant, se croit assailli par les flammes, et qu'il s'empale cruellement sur des pointes métalliques, au lieu de s'enfoncer dans une eau qui s'entr'ouvrirait, accueillante. En fait, l'antinomie est si parfaite que l'on peut se demander si cette mort n'est pas comme l'envers d'une même expérience, la mort par le feu et la mort par l'eau n'étant peut-être que les deux faces d'une même réalité, exactement comme Septimus est le négatif (ou le positif) de Clarissa Dalloway. Car le suicide de Septimus s'inscrit dans une longue divagation où domine le thème de l'eau, et il se trouve prolongé, en quelque sorte, par le rêve de sa femme Rezia, Rezia qui, précisément, ressemble, pâle et mystérieuse, à un « lis noyé sous l'eau ». A la mort de Septimus, sous l'effet de narcotiques, elle se voit courant à travers des champs de blé jusqu'à la mer : elle écoute la « caresse de la mer » qui les enclot, Septimus et elle, dans son intimité protectrice :

Hollowing them in its arched shell and murmuring

to her laid on shore, strewn, she felt, like flying flowers over some tomb[16].

Mer-refuge, mer-sommeil, mer d'une mort douce et berceuse. Mer faite de cette eau qui calme et adoucit pour Septimus les terreurs du feu.

L'eau est depuis longtemps une tentation pour Septimus. Dans son délire paranoïaque, il se voit couché sur le haut d'une falaise, et c'est la rêverie très curieuse du *marin noyé* :

But he himself remained high on his rock. I leant over the edge of the boat and fell down, he thought. I went under the sea. I have been dead and yet am now alive[17].

He was drowned, he used to say, and lying on a cliff with the gulls screaming over him. He would look over the edge of the sofa down into the sea[18].

Ce qui qui frappe dans cette rêverie, c'est la *position élevée* du sujet. Il se voit sur le sommet de la falaise et il croit être un marin noyé : il y a là comme un paradoxe, quelque chose qui va à l'encontre du sens commun. Septimus s'imagine *déjà* noyé, et pourtant *à nouveau* en vie, restitué, en quelque sorte, à la falaise, revenu sur son sommet. Il y a comme une inversion du temps ; un mouvement d'anticipation qui se replie sur lui-même, où l'*après* est déjà contenu dans l'*avant*. Nous sommes bien là au cœur du psychisme inconscient pour lequel le temps et la contradiction n'existent pas. Sans doute aussi pourra-t-on déceler dans ce fantasme une part de simulation : Septimus joue avec l'image de sa propre mort, il la renouvelle à volonté, il la vit, il la mime... jusqu'au jour où...

D'ailleurs, remarquons-le en passant, cette contemplation à distance, cette mer vue de haut, est caractéristique de V. Woolf et mériterait qu'on s'y attarde.

Le recours à la psychanalyse

La psychanalyse d'obédience freudienne pourra-t-elle nous appprendre qùelque chose à son tour ? Se lancer dans cette voie paraît bien hasardeux pour l'amateur sans compétence réelle. M. Quentin Bell fait allusion à un travail actuellement en cours : laissons donc la parole aux spécialistes[19]. La psychanalyse interprétera peut-être l'obsession de la culpabilité ou la phobie intermittente de la nourriture. Il est certain que l'énigme sera ramenée au triangle œdipien. En définitive, il est probable que cela ne nous apportera pas grand'chose.

La mer est généralement associée, par les psychanalystes ou par les mythologues, au principe maternel. Se noyer, c'est assurément retourner à la *mère*. Peu importe, sans doute, la personne réelle, l'individu : ce n'est pas tant de Julia Jackson qu'il s'agit que du principe maternel, de ce qui était *avant* la naissance. Et il semble bien que ce monde d'avant la naissance, d'avant la parole, d'avant le moi, soit une préoccupation centrale chez V. Woolf. Aussi, ces rêveries autour de la mort, autour du sommeil du *fond des eaux* sont-elles des rêveries du retour au *refuge* élémentaire. La voûte de feuillage sous laquelle se glissent les enfants dans *les Vagues*, par exemple, se referme sur eux comme la mer. Cette image des vagues qui *se referment* au-dessus de nous, effaçant toute faille pour reconstituer l'homogénéité première, lisse et protectrice, revient fréquemment. On songe à Paul Eluard :

> J'étais comme un bateau dans l'eau fermée,
> Comme un mort je n'avais qu'un unique élément.

Le hasard veut, en outre, que l'enfance de V. Woolf,

l'enfance heureuse d'avant la mort de la mère, de l'époque où le père et toute la famille étaient, sinon, sinon en paix, du moins protégés, soit aussi l'enfance des étés en Cornouailles, au bord d'une mer *réelle*. Il y a là comme une redondance, une superposition exemplaire de la figure maternelle et du code marin.

D'autres analyses peuvent enrichir cette lecture du « discours secret ». Viviane Forrester nous en fournit une, particulièrement perspicace, tirée de quelques pages de *Entre les actes*. Revenons un instant à cet étang aux nénuphars. Une dame âgée se penche sur l'eau : c'est Lucy Swithin qui aime tendrement son frère, le vieux Bartholomew, malgré l'incompatibilité de leurs deux caractères. En un dialogue imaginaire elle pressent ce que lui répondrait son frère. « La rêverie se poursuit, écrit Viviane Forrester, le poisson reparaît et elle le voit comme une vision de beauté, de pouvoir et de foi en nous-même. "Les poissons ont la foi, raisonnait-elle. Ils ont confiance en nous." Elle songe qu'à cela son frère répondrait "Ils sont avides. Ils ont faim." Et qu'elle protesterait " leur beauté !" Et que son frère répondrait : "Le sexe." Cette fois, prononcé par le frère, dans l'imagination de la sœur, le mot "sexe" est dit. Ce que l'eau renferme ».

Et V. Forrester analyse ensuite le trouble que Lucy Swithin éprouve auprès de William Dodge, son comportement bizarre, la chansonnette qui pourrait facilement passer pour obscène, et la persistance avec laquelle ses pensées reviennent toujours vers son frère : « C'était toujours "mon frère... mon frère" qui surgissait des profondeurs de l'étang[20]. » La boue de l'étang, l'eau trouble où sommeillent les mots « orduriers » serait-elle celle de l'*interdit* ? Dès lors, comment ne pas se souvenir (comme le fait V. Forrester) du désespoir de V. Woolf quand elle perdit son frère Thoby – Thoby pour lequel elle écrira *les Vagues.*

Que peut-être encore le message de l'eau à ce niveau des pulsions profondes, du discours énigmatique ? On évoquera la folie, cet *autre monde* dont l'eau est comme l'image inquiétante : miroir déformant, vitre ondoyante, espace « semi-transparent » et sans résistances... On se souviendra de ces nageoires aiguës qui émergent subitement des eaux. Car la mer est le champ même du *possible.* Tel Septimus, on la regarde « comme fasciné par quelque chose »... Et l'on voudrait pouvoir ignorer les références biographiques pour ne plus interroger que le texte, uniquement le texte.

Il nous reste à répondre à la question posée : l'eau dans l'œuvre de V. Woolf est-elle une eau morbide ? Avoir analysé quelques exemples ne suffit pas ; trois ou quatre exemples ne sauraient être représentatifs de l'ensemble de l'œuvre, pas plus qu'il ne faut généraliser la mélancolie attachée à l'imagination aquatique. « L'eau est une invitation à mourir », disait Bachelard, mais l'imagination n'a-t-elle pas le pouvoir d'euphémiser la mort ? Aux mots de Bachelard on peut opposer ceux de Gilbert Durand : « L'imagination aquatique arrive toujours à transformer toute amertume héraclitéenne en berceuse et en repos[21]. »

L'eau de la réconciliation ?

Nous aurons recours à nouveau ici au vocabulaire recensé. En voici le classement par ordre de fréquence :

En première position : WATER
En deuxième position : SEA
En troisième position : WAVE
En quatrième position : RIVER

L'étang (POOL) ne vient qu'en dixième position, et le lac en vingt-huitième position.

De ce classement il résulte que la mer est l'élément privilégié entre tous, suivi de la rivière, de l'eau courante.

Autrement dit, l'eau de V. Woolf est essentiellement une eau mouvante, une eau dynamique, et par conséquent une eau vivante, une eau *vivace.*

La critique s'intéresse plus volontiers aux représentations de la mort. Elles ont pour l'esprit plus de force, elles fascinent mieux que les représentations de la vie. De même (pour reprendre un mot célèbre) qu'il est difficile de faire de la bonne littérature en parlant de vertu ou de bonheur, de même il est peut-être plus difficile d'évoquer les puissances de la vie que les maléfices de la mort. Et c'est pourquoi nous nous arrêtons à ces derniers et faisons peu de cas du reste. Pour terminer, il faudrait donc rectifier un peu les plateaux de la balance.

L'eau de V. Woolf n'est pas – sauf quelques exceptions – cette eau fermée, lourde, stagnante d'un Edgar Poe ; ce n'est par l'océan maudit, sans flux ni reflux, de Bernanos ; ni l'eau fétide et molle de Verhaeren (étudié par Charles Mauron). A l'encontre de ces images néfastes, il faudrait citer de nombreuses pages de *Mrs. Dalloway* ou de *la Promenade au phare*, qui parviennent à communiquer la *fraîcheur vivifiante,* la *jeunesse* de l'eau, ou l'allégresse de sa liberté – toutes, images de spontanéité, d'élan ou d'abandon heureux :

And then, thought Clarissa Dalloway, what a morning – fresh as if issued to children on a beach[22].

... an exquisite suspense, such as might stay a diver before plunging, while the sea darkens and brightens beneath him...[23].

Et chaque fois que Clarissa ressent la plénitude de ce bonheur imprévisible, de cette harmonie fragile, elle se sent comme soulevée par une vague.

La pluie est bienfaisante et douce (« Gentle rain »).

Le spectacle de la mer apaise les personnages de *la Promenade au phare,* assouvit en eux un besoin profond, apporte, associée à la lumière du phare, la béatitude... A la fin du roman, lorsque le bateau approche du phare, Cam écoute le bruit des vagues sous la coque :

One could hear the slap of the water and the patter of falling drops and a kind of hushing and hissing sound from the waves rolling and gambolling and slapping the rocks as if they were wild creatures who were perfectly free and tossed and tumbled and sported like this for ever[24].

Energie vitale déjà exprimée quelques pages plus haut en ces termes :

From her hand, ice cold, held deep in the sea, there spurted up a fountain of joy at the change, the escape, at the adventure (that she should be alive, that she should be there)[25].

La vision de l'eau n'est donc pas une vision (exclusivement) négative. L'équilibre des contraires est son principe même. Car, si l'eau est angoisse et question, elle est aussi réponse. A la dissolution perpétuelle s'oppose une paradoxale permanence. Car, enfin, où chercher la permanence, sinon dans le principe même de cette dissolution ? A la fuite du courant s'oppose ce dessin, ce « *pattern* » immuable – forme immobile à travers laquelle s'écoule sans fin l'informe.

Cette « figure » que dessine le courant – et qui n'est peut-être qu'une affaire de vision, qu'un effet d'optique, une façon de déceler le permanent sous le mouvant et le fugitif – cette figure, un personnage d'*Années* semble bien en avoir pressenti le message :

Porté par les vagues, flottant à la surface, il ne s'y enfonce pas, il ne se mêle pas à elles, il semble leur opposer comme un refus inconscient.

On se baigne peu dans l'univers woolfien. N'est-ce pas étrange dans un monde où le décor marin, les plages, tiennent tant de place ? Qu'est-il advenu des étés en Cornouailles ? L'étude du vocabulaire montrerait ici que la plupart des emplois des verbes « *to swim* » ou « *to plunge* » sont des emplois métaphoriques, voire des clichés. On est très loin de ce lyrisme musculaire de la nage dont parle Bachelard.

Mais ce qui frappe avant tout, c'est le caractère insipide, abstrait, pourrait-on dire, de cette eau. La mer de V. Woolf est une mer *sans odeur*, ce qui apparaît comme une véritable hérésie pour quiconque est sensible à l'attrait de la mer – rumeur, mouvement et odeur (« the bitter, salt passion of the sea » dirait D. H. Lawrence). Certes, cela est caractéristique de l'ensemble de l'univers woolfien : univers visuel avant tout, monde de couleurs, remarquablement dépourvu de perceptions olfactives, et en cela très éloigné de celui de Joyce. On pourrait à ce propos opposer le monde sensoriel de la myopie, dont l'appréhension est plus physique, en prise directe par le tactile, l'épidermique, le gustatif, au monde plus intellectualisé des « visuels » (il y a, par ailleurs, chez V. Woolf une myopie concertée, un usage du flou à des fins esthétiques). De même, sur un plan plus général, il serait tentant – au risque d'être trop systématique – de distinguer deux manières d'aborder le concret, deux formes de tempérament, celle du contemplatif et celle du sensuel. Le contemplatif pose sur le monde un regard ému, mais qui suppose la distance ; son appréhension est plus spirituelle que physique. Le sensuel a besoin de toucher, de pétrir ; il reconnaît plus qu'il ne connaît, dans l'espace trop étroit du contact aveugle, d'une possession qui enserrre et enferme son objet. Si l'on retient ces distinctions, V. Woolf appartient sans aucun doute à la catégorie des contemplatifs. On a trop mis l'accent sur son côté cérébral et froid pour qu'il soit utile d'insister. Ce côté n'en exclut pas un autre, plus méconnu, plus chaud et plus intime.

La mer, dans cet univers, apparaît donc comme dématérialisée, aseptisée, on pourrait presque dire désexualisée. L'eau de V. Woolf n'est pas l'eau tiédie par le contact physique, par le corps du nageur. Ce n'est pas l'eau voluptueuse de Walt Whitman. Privée d'odeur et de saveur, elle garde ses distances. Et comme, enfin, c'est une eau que l'on regarde de haut, elle est en quelque sorte *aplatie* par la distance – distinction que ne manque pas de faire Lily Briscœ :

> ... as the waves shape themselves symetrically from the cliff top, but to the swimmer among them are divided by steep gulfs and foaming crests[31].

Cette mer « symétrique », satisfaisante pour l'esprit, est une mer apprivoisée, qui a perdu son danger.

Que faut-il conclure de ces observations ? Que cette approche prudente, mesurée, est révélatrice, sans doute, d'un certain aspect de la personnalité de l'écrivain ; de son côté puritain, à condition de donner à ce mot un sens intellectuel plutôt que moral. La fille de Leslie Stephen veut garder son contrôle, sa maîtrise des choses, veut « dominer » son univers, et, pour cela, elle doit le maintenir à une certaine distance. La création esthétique comporte pour elle une grande part d'ascétisme. Seul un monde épuré peut nous livrer la quintessence des choses.

Mais il demeure un paradoxe qui, à première vue, peut dérouter : à cette vision, ce regard sur l'eau, qui est un regard plongeant, de loin, de haut, on peut opposer le thème du sommeil du fond des eaux, évoqué plus haut : couché sur le fond de l'océan, le rêveur se laisse recouvrir par les eaux. Nous voilà, apparemment, au cœur de l'eau, plongé en elle. Mais est-ce bien là une immersion ? Ce ne saurait être une immersion dans le réel (où l'on ne touche pas au fond des choses), en tout cas ; c'est une immersion dans le rêve, dans l'imaginaire. Autrement dit, on n'est jamais au niveau de la mer, de plain-pied avec elle : qu'on la regarde de haut, ou qu'on se rêve englouti en son sein, elle est toujours marquée d'une irréalité.

La même observation se retrouve dans l'analyse d'un autre thème, qui est celui de ce que nous appellerons *l'eau virginale*. Il y a comme une fascination de l'eau virginale, qui apparaît dès le premier roman : de l'eau qu'aucun bateau n'a fendue, où personne ne s'est jamais baigné, où aucun regard ne s'est posé peut-être même. Or, cette eau est susceptible, à son tour, d'être troublée de deux manières : par la pierre qu'on y jette (ou le shilling, ou le corps qui s'y plonge) *d'en haut*, de l'extérieur, ou par la mystérieuse nageoire qui vient affleurer à la surface, meurtrir, blesser sa sérénité, surgie du *fond* obscur, de l'intérieur.

On en revient aux deux pôles de la sensibilité woolfienne, ces deux approches : la discipline de l'intelligence, de la raison, soucieuse de préserver ses distances, et la fusion qui s'opère au niveau du poétique, de la mystique, et, plus dramatiquement, de la folie. Ces deux aspects sont peut-être complémentaires ; les deux faces d'une réalité, l'extérieur et l'intérieur. La contradiction n'est qu'apparente.

L'eau virginale de V. Woolf fascine à distance. Elle est une perpétuelle tentation : du « saut », de l'immersion, de l'abandon à l'élan spontané de la vie. Car c'est au fond de l'eau peut-être qu'est la vraie vie.

NOTES

1. Voir, notamment, la conférence prononcée à la Ligue du Travail féminin, « Carrières féminines », citée par V. Forrester, *V. W.*, pp. 51 – 52.

2. *Cf.*, par exemple, les corrections apportées à *Point Hall,* première version d'*Entre les actes.*

3. Ces différents témoignages figurent dans *Recollections of Virginia Woolf,* ed. by Joan Russel Noble. On pourrait y ajouter l'anecdote rapportée par David Daiches, à propos du crayon que V. Woolf allait acheter dans le Strand : ces itinéraires qui la ramèneraient toujours vers la Tamise, *cf. infra* ou *supra.*

4. « Il y avait là, comme dans toutes les maisons que Virginia marqua de son empreinte, quelque chose qui faisait songer à un monde sous-marin, en dehors du temps ».

5. « Là [la maison de Tavistock Square] on a l'impression d'évoluer parmi les livres et les papiers comme au milieu des éperons rocheux de cette grotte sous-marine dont rêvent constamment les personnages de ses romans ».

6. « La salle-à-manger de Monk's House était en contrebas du jardin, et éclairée d'une leur verte comme un bassin pour les poissons. Il y avait un aquarium dans un coin. [...] La maison était comme un coquillage baigné par le flot ».

7. *Cf.* Gabriel Deshaies, *Psychologie du suicide*, 1947. Il semble même qu'en 1930 la noyade ait été le mode de suicide le plus souvent adopté par les femmes.

8. « Notre âme, notre moi, qui, tel un poisson, habite des mers profondes et navigue parmi des choses ténébreuses, se faufilant entre les troncs des algues géantes, par dessus des espaces mouchetés de soleil, plus loin, toujours plus loin, dans l'obscurité froide, profonde, indéchiffrable ; soudain, comme une flèche, il remonte à la surface et bondit sur les vagues ridées par le vent ».

9. « Mais lorsque nous sommes assis, tout proches, nos paroles nous fondent l'un dans l'autre. Nous formons un territoire intangible ».

10. « Quel était le secret pour se confondre, telles des eaux versées dans un même vase, indissolublement pareilles, avec l'être adoré ? »

11. « C'était quelque chose de central et de chaud, qui rayonnait, craquelant la surface, faisait frémir le froid contact de l'homme et de la femme, ou des femmes entre elles ».

12. « Quelque chose arrête brusquement le flot même de ma

vie ; le fleuve rapide bat contre un obstacle ; tout s'agite, tout est secoué ; je ne sais quelle dure masse centrale résiste. Oh ! cette douleur, cette angoisse ! Je succombe, je perds conscience. Et maintenant mon corps se fond ; mes liens tombent, je brûle. Le fleuve enfin se répand, vaste marée fertilisante, ouvrant les écluses, s'insinuant de force dans les replis du sol, inondant librement la terre. A qui donnerai-je tout ce qui ruisselle à travers moi, à travers l'argile tiède et poreuse de mon corps ? » (trad. M. Yourcenar)

13. A noter toutefois que M. Yourcenar, dans sa traduction, donne plus d'importance à la terre qu'elle n'en a – explicitement du moins – dans le texte anglais.

14. Ed. Grasset, 1974.

15. « Car elle éprouvait de nouveau ce désir impétueux de se jeter du haut de la falaise et de se noyer en cherchant une broche de nacre sur une plage ».

16. « Les abritant dans le creux de sa conque et murmurant auprès d'elle qui, étendue sur le rivage, se sentait dispersée comme des fleurs éparses sur une tombe. »

17. « Mais lui-même restait perché sur son rocher. Je me suis penché sur le bord du bateau et je suis tombé, pensait-il. J'ai coulé au fond de la mer. J'étais mort, et maintenant pourtant je suis vivant. »

18. « Il répétait souvent qu'il était noyé, couché sur une falaise, et les goélands poussaient des cris stridents au-dessus de sa tête. Il se penchait par-dessus le sofa et regardait la mer à ses pieds. »

19. *V. Woolf*, vol. II, p. 20 n.

20. *Cf.* Viviane Forrester, *V. Woolf*, éd. Quinzaine littéraire, 1973, pp. 116 – 119.

21. *Structures anthropologiques de l'imaginaire*, Bordas, 1969, p. 266.

22. « Quel matin ! Quelle fraîcheur ! pensait Clarissa Dalloway. Comme offerts à des enfants sur une plage. »

23. « ... un instant de recueillement exquis, pareil à celui qui retient le plongeur sur le point de sauter, tandis que la mer s'obscurcit et s'éclaire à ses pieds ».

24. « On entendait le clapotis de l'eau et le tapotement des gouttes, et une sorte de chuchotement, de chuintement, que produisaient les vagues en roulant, bondissant et heurtant les rochers à la façon d'animaux sauvages et parfaitement libres, s'ébrouant, s'écroulant et fôlatrant ainsi pour l'éternité ».

25. « De sa main, froide comme la glace, qu'elle tenait profondément enfoncée dans la mer, jaillissait une fontaine de joie

à la pensée de ce changement, cette évasion, cette aventure (car elle était vivante, elle se trouvait là). »

26. « Quelque sentiment enfoui se mit à composer un motif avec l'eau du courant ».

27. « Est-ce que tout se répète, un peu différemment ? Si c'est le cas, y a-t-il un motif, un thème qui revient, comme une musique ; à moitié souvenir, à moitié intuition ? Quelque gigantesque motif devenu un instant perceptible? Cette pensée lui donnait un plaisir extrême : qu'il y ait un motif. Mais qui en est l'auteur ? Qui le conçoit ? Son esprit lâchait prise... »

28. Il est intéressant de noter que nous rejoignons ici la conception d'un temps circulaire, qui était celle des philosophes grecs. Peut-on aller jusqu'à y voir une euphémisation de l'irréversible ?

29. « Au milieu du chaos il y a la forme ; ce passage, ce flot éternels [...] se trouvaient d'un seul coup stabilisés. »

30. « ... comme il avait vu sa main posée, lorsqu'il se baignait, flottant sur la crête des vagues... »

31. « ... de même que les vagues lorsqu'on les voit du haut de la falaise prennent des formes symétriques mais paraissent au nageur qui se trouve au milieu d'elles divisées par des gouffres profonds et des crêtes écumantes. » (trad. M. Lanoire. ed, Stock)

DISCUSSION

Jean GUIGUET : Je suis, vous le savez, l'ennemi des ordinateurs et des méthodes scientifiques appliquées brutalement et sans intelligence à la littérature. Je n'en suis que plus heureux de saluer ici une méthode critique qui utilise les chiffres avec beaucoup de mesure, de finesse, de prudence et d'intuition.

Eddy TREVES : Quelle était l'attitude de Virginia Woolf à l'égard de la nourriture ?

Marie-Paule VIGNE : Je n'ai pas tellement étudié cet aspect, mais je le crois assez révélateur. Dans ses états, disons « normaux », Virginia Woolf semble avoir apprécié le petit verre de vin qui lui donnait l'impression que les poutres du plafond n'étaient pas tout à fait droites. Mais lorsqu'elle était malade, elle prenait, je crois, en dégoût la nourriture; ce refus systématique de manger était lié à un complexe de culpabilité dont on n'a pas encore analysé l'origine. Songez, chez Septimus Warren Smith, au dégoût de tout l'aspect animal de l'être humain.

Clara MALRAUX : En revanche, au début de *Une chambre à soi*, la description d'un repas à Oxford donne grande envie de se mettre à table.

Jean GUIGUET : Sans parler du fameux bœuf en daube, si central dans *la Promenade au phare*.

Hermione LEE : A propos de l'eau comme symbole de profondeur, peut-on penser à une influence de Bergson ?

Marie-Paule VIGNE : On a trop tendance à associer le nom de Bergson à celui de Virginia Woolf; c'est oublier des divergences fondamentales. Autant, en effet, la pensée de Virginia Woolf est tourmentée, douloureuse, autant Bergson est dépourvu de sentiment tragique, car sa philosophie est celle d'un devenir optimiste qui, au lieu de déposséder, de frustrer, de retrancher, ne cesse, au contraire, de s'accroître grâce à l'apport du passé. Le changement est élan, poussé de vie. Bachelard, lui aussi, est un philosophe du bonheur, surtout à l'aise dans l'analyse des rêveries euphorisantes, bien loin de l'ironie, de l'amertume woolfiennes.

Jean GUIGUET : J'ajoute que Leonard Woolf m'a dit que Virginia n'avait jamais lu Bergson. Bien sûr nous ne sommes pas obligés de le croire ! Par ailleurs, comme l'a dit Marie-Paule Vigne, Bergson était dans l'air et Karin Stephen a écrit un petit livre sur lui vers 1922.

Jean PACE : Jane Harrisson, dans un ouvrage peu connu qu'a publié The Hogarth Press, *Reminiscence of a Student Life*, parle des influences intellectuelles qu'a subies Virginia. Elle cite, dans l'ordre, Aristote, Bergson et Freud. Elle évoque cette impression de jaillissement qu'elle a éprouvée en lisant Bergson.

Françoise PELLAN : Quand vous avez parlé de la sirène, j'ai pensé aussitôt à Clarissa Dalloway telle qu'elle apparaît à Peter Walsh à la fin du roman et aussi, un peu plus tôt, lorsqu'il se promène dans Regent's Park, à la fin de la matinée et que, pour se reposer, il s'assoit sur un banc à côté d'une bonne d'enfants qui veille sur un bébé qui dort. S'étant lui-même endormi, il a une série de visions; voyageur qui traverse une forêt, il rencontre une créature immense, faite de branchages et qui lui offre des fruits, et c'est alors qu'apparaît une figure marine qui attire les marins à la mort. Ensuite il arrive dans un village où le temps semble s'être arrêté; apparaît un troisième visage féminin, celui de la mère qui guette le retour du fils. Mais il ne s'arrête pas et se retrouva assis dans une maison; une quatrième femme, qui ressemble à une servante, devrait normalement lui donner à manger, mais le rêve se termine sur une idée de frustration...

Marie-Paule VIGNE : C'est, il me semble, un des rares exemples de création d'un récit mythique, mais il est difficile à déchiffrer. La sirène, bien évidemment, est traditionnellement associée à la mort.

Françoise PELLAN : Vous vous rappelez la fin de *Mrs. Dalloway* : « Quelle est cette crainte ?... Ce ravissement ? ». Clarissa s'est retirée dans son petit salon; Peter la voit revenir. Il n'y a aucune raison pour qu'il éprouve terreur ou extase en la voyant, cette femme qu'il connaît bien. Pour moi, c'est plutôt la mort qui apparaît, cette mort que Peter a jusque là toujours refusée. Maintenant elle le fascine et il l'accepte finalement en voyant Clarissa.

Marie-Paule VIGNE : Il y a également cet autre « mythe », celui de la mendiante, cette vieille femme qui est aussi une fontaine, une source originelle... Mythe de la fertilité, et mythe de la mort... Femme-fontaine, femme au visage d'oiseau (elle aussi !), qui est peut-être une sphynge, cette « bête chanteuse » de Sophocle, qui, si je me souviens bien, a quelque lien de parenté avec la sirène...

Jean GUIGUET : Vous avez parlé de la rêverie du marin noyé, qui se retrouve sur le sommet de la falaise. Ne pourrait-on comparer ce texte au *Pincher Martin* de Golding, ce roman tout entier construit sur la rêverie du marin noyé qui se croit sauvé ? Le parallélisme est frappant entre les deux expériences.

Marie-Paule VIGNE : Il faut songer aussi à l'influence de la littérature élisabéthaine, que Virginia Woolf aimait beaucoup. C'est là qu'on trouverait l'image de l'épave du bateau avec l'association entre les ossements et les bijoux. Tout cela vient de Shakespeare, de *Periclès*, de *Richard III*, de *la Tempête*, mais est repris aussi dans la poésie contemporaine.

Jean GUIGUET : Lorsque vous avez rappelé la descente au village pour acheter le crayon et évoqué cette inondation que Virginia Woolf aurait voulu voir durer toujours comme au commencement, j'ai songé à *Entre les actes*, à ce perpétuel va et vient entre le présent et toute la préhistoire, avec tous les marais, toute la plaine originelle d'où émergea l'Angleterre. Cette descente au village pour acheter le crayon m'a rappelé aussi, dans *Night and Day*, l'évocation de la maison idéale, du cottage sur la colline et le chemin qui descend à l'eau – juste trois lignes qui sont le rêve extrêmement banal de la chaumière dans laquelle l'existence va trouver son refuge perpétuel contre les vicissitudes de l'existence, mais il y a la prairie et la descente vers l'eau, cet élément favori de Virginia Woolf.

Françoise PELLAN : C'est la première fois que j'ai

entendu dire que le suicide de Septimus était absolument l'inverse d'un suicide par noyade. On associe généralement les deux, comme si se jeter par la fenêtre équivalait à se jeter dans l'eau. Ce que vous avez dit est remarquable, car Septimus s'empale cruellement sur des pointes, et il y a aussi l'idée de flamme...

Jean GUIGUET : Cette excellente remarque montre la précision de l'analyse. Justement, l'un des aspects que Marie-Paule Vigne a bien mis en évidence, c'est que les symbolismes profonds sont toujours des constellations de contraires et que par conséquent on peut toujours les inverser.

Jean-Pierre COLLE : Peut-on dire que, chez Virginia Woolf, l'eau du jour soit le symbole autour duquel la vie s'organise alors que la nuit chargerait l'eau de maléfices ?

Marie-Paule VIGNE : Votre question est très intéressante, mais je ne sais comment y répondre. Au risque de surprendre, je dirai qu'il n'y a pas tellement de nuit dans le monde de Virginia; la nuit est éclairée. Du moins, je m'appuie là encore sur mes relevés lexicaux; mais aussi sur un sentiment plus spontané.

Yvonne JOYE-DE-VRIESE : Que signifie, dans les crises de Virginia Woolf, la vision qu'elle avait d'espèces de requins ?

Marie-Paule VIGNE : Cela peut signifier, au niveau esthétique, l'idée d'un livre à écrire, d'une œuvre à créer.

Jean GUIGUET : C'est en effet, l'image qu'elle emploie toujours pour l'émergence d'un de ses livres.

Marie-Paule VIGNE : Mais il y a aussi la terreur, l'angoisse de la folie, telle qu'elle est évoquée dans le *Journal*. Le thème de la nageoire revient comme un leitmotiv dans *les Vagues*, suivi d'une sorte de négation – l'absence de nageoire – plus angoissante encore peut-être. J'ai l'impression d'un livre qui se veut sans regard, de la quête d'un univers sans témoin. Et puis la nageoire appartient encore à la catégorie des objets tranchants, agressifs, si importants, là encore, dans l'œuvre... Tout peut sortir de l'eau... N'importe quoi... Tout est possible; l'eau, c'est le possible. Et cette parole de l'eau est terrifiante.

Eddy TREVES : Pour répondre à Jean-Pierre Colle, ne pourrait-on pas dire que les vagues, les marées, tout ce qui a trait à la mer, seraient l'aspect diurne de l'eau, tandis que les étangs, les rivières, correspondraient à son aspect nocturne ?

Marie-Paule VIGNE : C'est une chose qu'on peut dire, en effet, mais tout est différent selon le livre, selon l'instant, selon le contexte.

Jean GUIGUET : Pour corroborer la difficulté à assigner des significations précises à ces éléments imaginaires fondamentaux, je citerai cette remarque de Virginia Woolf dans son *Journal* à propos des *Vagues*; « Je suis arrivée à utiliser tous mes symboles, mais pas d'une façon rigide, rigoureuse et systématique ». Il semble qu'elle se soit abandonnée à une sorte d'organisation profonde, trouble, mystérieuse, disons presque viscérale, de ce monde. Puisque j'ai eu l'occasion d'étudier d'une façon statistique l'eau dans la poésie de Hart Crane, vous auriez là un point de comparaison qui pourrait être amusant.

Marie-Paule VIGNE : Il faut noter que l'eau finalement a, dans *les Vagues*, une place moins importante qu'on pourrait l'imaginer (d'après mes tableaux, environ 40%) Mais dans ce livre, le vocabulaire cosmique devient de plus en plus varié, avec une profusion croissante d'images empruntées à tous les domaines. Il y a là un signe un peu inquiétant d'ailleurs, qui pourrait être interprété comme un symptôme pathologique. Cette accélération panique de la fréquence du vocabulaire cosmique concerne aussi bien l'eau, la terre, le végétal, sans prédominance particulière de tel ou tel élément.

Jean GUIGUET : Pour revenir à la question de la nuit, il semble bien que *les Vagues* soient entièrement diurnes. Le livre commence au matin et cela finit à la nuit tombée. *Jacob's Room* débute sur la plage en plein soleil, mais vient ensuite une pluie diluvienne et le seau de Jacob, avec le crabe qui tourne dans le noir. Il y a là un résumé absolument extraordinaire de la nuit cosmique.

Marie-Paule VIGNE : La proportion des éléments autres que l'eau donne à peu près 37% pour le végétal (avec priorité pour l'arbre, où l'on retrouve incontestablement des éléments marins, les branches étagées verticalement, la lumière glauque et les rumeurs de la forêt qui évoque, dans *la Traversée des apparences* et dans *Mrs. Dalloway*, un océan); 25% pour la lumière; 23% (sensiblement la même proportion) pour le domaine aérien, où le vent, les nuages, le mouvement, le rythme sont très importants; seulement 8% pour l'obscurité, 7% pour la terre, donc une très faible proportion pour le terrestre, qui est dépourvu de mouvement.

VII. VIRGINIA WOOLF ET LA CRITIQUE[1]

par A. A. H. INGLIS

On m'a demandé, en avançant ce matin « une opinion modérément anti-Bloomsbury », de me faire en quelque sorte l'avocat du diable. Mais je crains de décevoir cette attente, car une telle « opinion modérée anti-Bloomsbury » m'est apparue, à la réflexion, tout ensemble trop simple et superflue. Trop simple, parce qu'on a déjà énoncé les objections traditionnelles, énergiquement invoqué l'alternance des centres de valeur, tantôt dans le peuple, tantôt dans une éthique tolstoïenne, tantôt dans les dieux des ténèbres, et on gagnerait peu à les répéter ou à les délayer. Superflue, parce que le temps, les changements sociaux et une documentation complète ont placé Bloomsbury au-delà de la simple polémique; le désir d'établir, de décréter un équilibre entre l'enviable et le pitoyable, le fructueux et le stérile, la profondeur et l'insignifiance de ces vies, de ces travaux et activités, fait place à présent au sentiment dominant de leur éloignement et de leur singularité par rapport à notre propre monde.

De plus, j'ai pensé – en relisant certains romans de Virginia Woolf et en examinant les ouvrages critiques récents qui lui sont consacrés – que, pour un groupe qui s'intéresse particulièrement à Woolf, le débat le plus fructueux et le plus stimulant était ailleurs, c'est à dire dans l'importante contradiction qui existe entre les implications des meilleures études récentes et les évaluations prudentes ou les condamnations sans appel qui constituent l'opinion représentative en Angleterre[2]. De nombreuses informations depuis quelques années ont contribué à éclaircir les malentendus et à corriger les erreurs sur Virginia Woolf, notamment des ouvrages comme *A Writer's Diary* (1953) et la biographie de Quentin Bell (1972). Des études d'ensemble, comme celle de Jean Guiguet, et des recherches particulières, comme celles de Rosenbaum sur l'influence de Moore[3], et de Mc Laurin sur la répétition et le rythme[4], apportent clarté et perspective dans des domaines particuliers. Des écrivains, des critiques et des philosophes récents – en particulier Beckett, Robbe-Grillet et Merleau-Ponty – ont modifié notre sensibilité, nos critères et nos attentes et, par là, ont changé l'idée que nous nous faisions de ce qui est significatif dans le passé immédiat. Cette combinaison de travaux d'érudition, de pensées critiques et de circonstances historiques rend nécessaire une réévaluation des romans de Virginia Woolf et de sa place dans la littérature anglaise. Pourtant, parmi les gens qui sont à l'origine même de cette situation, certains paraissent encore trop déchirés entre deux systèmes de valeurs contradictoires pour tirer toutes les conséquences qu'impliquent leurs travaux, et d'autres ont, semble-t-il, manqué de l'audace (au meilleur et au pire sens du terme) qui leur aurait permis d'approfondir leurs conclusions. C'est à cet approfondissement que je souhaiterais vous encourager.

Considérons d'abord les objections traditionnelles qui ont été faites à l'œuvre de Virginia Woolf et voyons ce qu'il en reste à la lumière de la critique moderne. Ont-elles entièrement disparu, fondues dans une synthèse supérieure, ou bien se dissimulent-elles dans le rang des critiques récents, pour empoisonner leurs recherches et y jeter la confusion ?

Trois de ces anciennes objections sont nées d'interprétations erronées dues à la négligence, négligence en partie sanctionnée par la « bohème aisée » de Bloomsbury et par la facilité journalistique et vulgarisatrice des propres attaques de Virginia Woolf contre Wells et Bennet, lesquelles, dès le début de sa carrière, présentèrent de ses buts et de ses méthodes une image qui était loin d'être en rapport avec la complexité et la vigueur de ses meilleurs romans. Je pense ici aux accusations qui dénoncent le manque de portée et de préoccupations sociales de son œuvre – la fausse poésie qui la mine de l'intérieur – et le manque de foi, « un monisme flou et délétère », qui la conduit à accepter la dissolution dans le néant, à s'abandonner à la marche du temps et à renoncer au sens de la vie personnelle[5].

A ceux qui dénoncent, dans l'œuvre de Virginia Woolf, un manque de portée sociale, il suffit d'opposer au hasard de ses livres toutes les pages centrées sur le travail, et où les pauvres, les fous, ceux que les œillères n'ont pas empêchés de réussir y apparaissent à maintes reprises, la vieille mendiante près de la station de métro de Regent's Park, la hanche tuberculeuse du fils du gardien de phare, Septimus Warren Smith et Mr. Ramsay. On trouve une réflexion socio-historique, plus ou moins engagée et plus ou moins spirituelle, il faut bien l'admettre, dans des œuvres comme *Orlando, The Years* et *Between the Acts*, et les préoccupations sociales manifestes dans les romans, sont confirmées par les essais et par ce que nous connaissons maintenant de la vie de Virginia Woolf. De maintes façons, elle fut bien la fille du libéral victorien Leslie Stephen.

Quant au grief de faux lyrisme, il faut, pour y répondre, distinguer entre les objections de détail comme celles de Fry[6], qui peuvent mettre en lumière certains défauts ou excès effectifs, même si l'on soupçonne Fry de fonder son jugement sur une norme relativement conservatrice et, d'autre part, l'accusation plus grave de Miss Bradbrook qui reproche à Virginia Woolf de traiter *uniquement* d'instants gravés dans la sensibilité, « métaphores épigrammatiques » qui lassent le lecteur par leur manque de sélection et de cohésion significative[7]. A cette objection on a répondu de plusieurs côtés en montrant (de Blackstone à McLaurin) la densité, la cohérence des interrelations et le bonheur des images chez Virginia Woolf, et aussi le caractère intensément *transitif* de son art.

Enfin, avant comme après Savage, des études attentives et des exposés critiques ont bien prouvé que les romans de Virginia Woolf furent plutôt des armes contre le flux que comme des abandons inertes au courant. Empson a mis en lumière l'utilisation *dynamique* de l'image du courant de conscience et Daiches et Auerbach ont montré comment Virginia Woolf fait usage de la rêverie, mais sans lui sacrifier l'expérience[8]. Les remarques impatientes et simplificatrices de Savage (spécialement sur *Between the Acts*) s'expliquent en partie par une certaine angoisse qu'il éprouve devant l'indétermination et le manque d'absolus – angoisse que la génération suivante a sérieusement dominée – nous nageons dans les vagues du flux au lieu de nous y noyer[9]. Mais la position culturelle qu'Auerbach, dans ses dernières pages, assigne à Virginia Woolf nous rappelle que dès la fin des années 1940 on pouvait déjà dépasser les attitudes de Savage.

Cependant, deux des plus anciens reproches faits aux romans de Virginia Woolf tiennent moins à une négligence d'interprétation qu'à la persistance de certaines conventions littéraires, auxquelles justement Virginia Woolf avait échappé de façon très consciente. Il semble qu'avec le temps se soit estompé le grief qu'on lui faisait d'être incapable de créer des personnages. Notre gamme de références s'étend maintenant aux personnages de

Kafka et de Camus autant qu'à ceux de Dickens et de Thackeray, et il est difficile d'imaginer à présent que l'on ait pu réclamer un naturalisme si rigoureux que même Mr. Ramsay n'y satisfaisait qu'à peine. Le manque de contenu significatif – accusation portée, d'une part, par Leavis et ses collaborateurs, chacun à leur manière, et d'autre part, par Kettle et les marxistes – est un grief que le style et le mode d'approche des critiques de Virginia Woolf n'a guère contribué à rejeter de front. La stratégie oblique qui leur est commune, les modalités de leurs commentaires extrêmement sensibles qui se refusent à toute paraphrase, ont laissé cette idéologie pré-moderniste prospérer dans leurs propres rangs, ce qui n'a pas été sans leur susciter quelque confusion. Je reviendrai sur ce point; voyons pour l'instant le prétendu manque de contenu.

Ecoutons, par exemple, Kettle, qui demande : « A quoi revient exactement la vision de Lily Briscoe ? En quel sens l'épisode du bateau entre James et M. Ramsay est-il vraiment l'aboutissement ultime de leurs relations antérieures ? »[10]. De son côté, Mellers, collaborateur de Leavis, affirme : « Dépouillée de la technique « originale », ce que Mme Woolf veut dire sur les relations entre ses personnages et sur cette entreprise qu'est la vie est à la fois banal et sentimental[11] . »

Pour poser de telles affirmations, il faut, je crois, nier la nature de la littérature ou n'en pas tenir compte. L'erreur de Mellers est la grossière « hérésie de paraphrase ». En dépouillant l'expérience de Virginia Woolf de la forme littéraire où elle l'a inscrite, Mellers ne peut y voir qu'une sorte de parodie et de dénaturation. Aussi assoiffé de contenu et de foi que Savage, qu'il cite avec approbation, Kettle va plus loin. Exiger « réellement » l'évaluation d'une vision et demander des relations « réelles » là où la relation que l'on veut « *réelle* » est l'apogée – peut-être seulement un moment de repos fugace à *l'intérieur* – d'un schéma psychologique complexe, semble tout à fait inapproprié au *genre* d'épreuve et de vérification qu'autorise la nature du sujet. Les réserves de Kettle sur l'œuvre de Virginia Woolf procèdent d'un populisme philistin, commun à la critique marxiste britannique des années 1930 et 1940. A quoi j'opposerais les commentaires de Walter Benjamin sur le style moderne de Kafka. Aussi surprenant que ce soit, dit Benjamin, là tout est dit « avec indifférence, et en sous-entendant qu'il devait sûrement tout avoir su depuis si longtemps, [...] comme si rien de nouveau n'était communiqué, comme si le héros était juste invité avec subtilité à se rappeler quelque chose qu'il avait oublié. [...] Ce que l'on a oublié n'est jamais quelque chose de purement individuel[12]. »

Je cite ce texte comme un exemple de sensibilité en face de l'objet littéraire – sensibilité qui prend ici le pas sur une hâtive interprétation idéologique – mais aussi parce qu'il évoque un type de modernité commun, je crois, à Virginia Woolf, à Eliot et à Golding, forme d'art qui échappe aux anciennes catégories et où la signification n'est aucunement limitée au manifeste ou à l'énonçable.

Contre Mellers, et contre cette forme du rejet des dernières œuvres de Virginia Woolf par *Scrutiny*, on pourrait invoquer avec profit les propres analyses de Leavis, sensibles et convaincantes, ses essais sur *Mauberley*, sur les poèmes de Hardy de 1912, et la série sur *Four Quartets*[13], où il défend la poésie du XXème siècle, accusée injustement comme notre romancière d'incohérence, d'arbitraire et d'obscurité prophétique dans une critique remarquable pour son interprétation généreuse, subtile et attentive, qui concède que le sens peut être constitué par le rythme et la juxtaposition autant que par les éléments qui se prêtent davantage à la paraphrase. Et D. W. Harding écrit encore de Shelley :

« Les idées contrastantes et parfois à peine conséquentes de ces strophes semblent, en partie, avoir atteint leur expression par une association verbale que l'on pourrait qualifier d'accidentelle, si elles n'offraient pas si évidemment des occasions à l'émergence de variantes importantes d'idée et d'attitude[14]. »

Il est clair que les théories et les habitudes critiques du groupe auquel appartient Mellers n'étaient pas de soi inaptes à rendre justice au style de Virginia Woolf. On reviendra sur l'origine d'un aveuglement commun. Pour le moment, il suffit d'avoir établi que le positivisme particulièrement naïf de cette phrase : « dépouillée de la technique originale », n'est qu'une erreur isolée et non un trait de la méthode critique de *Scrutiny*.

Des exigences semblables, quant au contenu et à la clarté, sont encore formulées de nos jours. Dans *Tradition and Dream* (1964 p. 18), Walter Allen, parlant de cette romancière qui traduit l'expérience du flux, observe que « son thème est constant; la quête d'une combinaison de significations dans le flux de myriades d'impressions » : la difficulté de la vie se réduit à la difficulté d'un puzzle. Et le défaut fondamental du livre de Mr. Leaska, *To the Lighthouse*[15], est de croire qu'il y ait des solutions aux puzzles. Il nous offre tout un chapitre où les ébauches de personnages sont évaluées et, tout au long de son analyse par ordinateur du style du roman, l'un de ses buts avoués est d'établir mathématiquement une estimation du personnage de Mrs. Ramsay et de sa signification, encore plus négative que celle qui était courante chez les critiques antérieurs.

C'est exactement parler pour ne rien dire que de demander, avec le Rev. G. W. Streatfield. personnage de *Between the Acts*, « quelle signification ou quel message cette succession de tableaux est destinée à transmettre ». Virginia Woolf n'a jamais écrit de romans à message, ou comportant un jugement moral; et, dans la mesure où elle ébauche quelques thèmes et jugements éthiques – qui d'ailleurs, comme à Mr. Leaska, me semblent fort impartiaux – ils ne jouent qu'un rôle accessoire, à la différence de ce qu'on trouve, par exemple, dans les œuvres de George Eliot ou dans les premiers ouvrages de Henry James.

En dénonçant cette erreur positiviste concernant l'éthique, j'ai franchi par inadvertance la ligne frontière que j'avais jusqu'ici respectée, celle qui correspond en gros aux années 1940, peut-être 1950, c'est à dire avant la publication de *A Writer's Diary* en 1953. Vingt ou trente ans après la mort d'un écrivain, on peut escompter soit que les courants d'opinion justifient la réputation que l'écrivain avait acquise de son vivant, comme ce fut certainement le cas pour Yeats, Joyce et Lawrence, soit qu'ils aboutissent à un constat de faillite, dans le genre de celui dont furent victimes Bennett, Wells et Galsworthy. Il semble que Virginia Woolf n'ait connu aucun de ces deux traitements. Un distingué critique anglais me disait naguère d'elle : « écrivain manqué », et « son rang tout à fait mineur » reste un lieu commun dans les manuels anglais; cependant, d autre part aucun romancier du début du XXème siècle, à part Forster et Lawrence, ne semble mieux considéré. Ce que j'ai cité de Kettle, d'Allen et des autres, n'est pas vraiment représentatif de leur opinion sur l'œuvre de Woolf, à laquelle par ailleurs les critiques ont su rendre bien davantage justice, mais il fallait évoquer ici ces aspects négatifs de leur jugement.

Cette incertitude dans la réputation critique de Virginia Woolf est due sans doute pour une part, outre plusieurs facteurs culturels sur lesquels je reviendrai, à certains aspects de ses romans. Mais une part de responsabilité revient à ceux qui ont écrit sur Virginia Woolf. La critique de Woolf, plus que celle d'aucun autre auteur de ma connaissance, constitue un corpus de discussion qui semble s'être orienté plutôt vers des commentaires et des interprétations que vers une discussion visant à modifier l'opinion reçue, qu'il s'agisse du niveau auquel on doit situer l'auteur ou des mérites particuliers de chacune de ses œuvres. Certes, cette tendance est une réaction à quelque chose qui se trouve effectivement dans ses romans. Dans son essai de 1931, Empson souhaitait avec une nuance d'ironie des versions indexées et annotées de ces œuvres, et c'est précisément ce que plusieurs des auteurs récents semblent nous offrir. Certes la conceptualisation et l'évaluation théorique semblent d'une lourdeur un peu disproportionnée à la nature même des romans de Virginia Woolf. Mais on a trop négligé cet aspect et la critique récente (en particulier par ses plus faibles apports américains) nous montre les débuts d'un culte opaque et froid. On peut parler d'une sorte d'académisation grâce à laquelle *To the Lighthouse*, considéré comme un roman auquel partisans et opposants de Virginia Woolf pouvaient s'entendre à trouver quelque mérite, a directement évolué vers le statut de classique reconnu, qu'on peut utiliser comme champ d'expérience pour mettre à l'épreuve une nouvelle méthode critique.

Cette formulation nous ramène au cas de Mr. Leaska dont le premier centre d'intérêt est d'essayer d'établir et d'analyser des preuves objectives, explorables en termes statistiques, et permettant une différenciation stylistique cohérente entre les personnages de *To the Lighthouse*. Mais même dans les limites de son projet, le travail de Mr. Leaska n'est pas sans défauts. La méthode dont il use pour choisir ses échantillons laisse place à des variations du style de chaque personnage au cours du roman; en assignant certaines phrases (ou certains membres de phrases) à certains personnages d'une manière rigide mais subjective, l'auteur prête le flanc aux critiques de ceux qui l'accusent de cercle vicieux. Mais il nous importe davantage de considérer les postulats généraux de

Mr. Leaska. Il ne tolère pas l'ambiguïté, quelle qu'en soit la richesse; la sincérité et l'incertitude le chagrinent, même quand il s'agit de classiques, comme *Gulliver's Travels*, ou *The Turn of the Screw* (pp. 21, 38). Aux dernières pages de son livre, il explique simplement que le roman à conscience multiple est le résultat d'une époque d'individualisme social et éthique, de diversité et de relativité qu'il déplore en la traitant de « débâcle culturelle[16] ». Impitoyable moraliste, il considère comme la preuve d'un « attachement sincère et résolu aux faits » l'incapacité de Mr. Ramsay à comprendre l'incapacité de Cam à comprendre la boussole, alors que j'y verrais plutôt le signe de la structure et des limites du moi, le fait raisonnable et parfois importun que l'être le plus proche et le plus cher peut devenir « l'autre ». « La véritable harmonie ne pouvait être réalisée qu'après la mort de Mrs. Ramsay » écrit-il (p. 123), comme si (en vérité) l'harmonie était réalisée lorsque les images de noyade remplacent celles de bataille. Mr. Leaska a serti son étude intéressante et importante dans un écrin de contre-sens critiques.

Si l'insistance de Mr. Leaska sur l'évaluation éthique dans le roman constitue un aspect décevant de la critique consacrée à Virginia Woolf, l'ouvrage de Mr. McLaurin déçoit d'une autre manière. L'interprétation qu'il présente est certes plus sensible et moins simpliste que celle de Leaska; intéressants sont les rapports qu'il met en lumière entre Virginia Woolf et, d'autre part, Proust, Cervantes, Lawrence et Sartre : son utilisation des concepts de répétition et de rythme est parfaitement adaptée et efficace. Il donne un coup de chapeau à Robbe-Grillet et recourt intelligemment à Kierkegaard. Plusieurs fois, il semble sur le point d'élargir sa méthode pour arriver à des positions réellement originales; mais en fait il évite les problèmes brûlants et se limite à des remarques judicieuses, mais de portée un peu limitée.

Si Leaska généralisait trop aisément, McLaurin semble se perdre dans les détails. S'attachant lui aussi, pour finir, à l'exégèse de *To the Lighthouse*, il évite de se prononcer sur la valeur d'un roman qu'il semble avoir choisi d'étudier par respect de la tradition et pour satisfaire à la logique interne de son enquête. Mais justement la place importante que l'on attribue traditionnellement à *To the Lighthouse*, chez Auerbach comme dans les premières critiques, a conduit beaucoup d'interprètes à d'oiseuses discussions d'importance mineure, fondées successivement sur la transcendance chrétienne (vers 1950), sur l'existentialisme et la psychologie évolutive (vers 1960), pour aboutir maintenant, depuis 1970, à une timide « nouvelle critique ». Depuis longtemps il semble que personne ne se soit attaché soit à défendre les positions fondamentales de cette œuvre, soit à les mettre radicalement en question.

Avec ce qu'elle a peut-être d'illusoire, l'apparente unanimité des critiques fait ressortir leur manque d'intérêt pour une évaluation *interne* de l'œuvre de Virginia Woolf. Des débats sont engagés sur les deux derniers romans – et je crois qu'au moins un des participants à notre colloque pense qu'il y aurait aussi beaucoup à dire sur les deux premiers – mais, en général, il semble que l'on évite soigneusement de répondre aux questions-clefs. Ainsi, après avoir affirmé que *The Waves* est « incontestablement le chef-d'œuvre de Virginia Woolf », Jean Guiguet ajoute que « les antagonismes ou les objections » que suscite ce roman « ne relèvent pas de la critique littéraire proprement dite, mais sont affaire de tempérament ou de prise de position métaphysique[17] ». Il me semble que, si *The Waves* n'émeut pas l'imagination avec assez de force pour qu'on puisse dépasser ce constat de pur relativisme, il ne s'agit pas alors d'un véritable chef-d'œuvre. Or je pense que c'en est un, et je regrette que Jean Guiguet ne l'ait pas discuté dans son livre de manière à aboutir à une évaluation catégorique et provocante, qui aurait obligé les critiques d'opinion opposée à défendre leur rejet de ce roman. Pour cela, il faudrait situer le débat dans un contexte plus large; il faudrait en particulier le comparer à cette autre œuvre anglaise contemporaine, *Four Quartets*, qui fait une large place à la rêverie, à l'écho et au monologue polyphonique, et voir aussi dans quelle mesure ces deux ouvrages dépassent le ventriloquisme d'Auden ou le structuralisme cérébral de Beckett. De ces nécessaires discussions, il est regrettable qu'une prudence tout universitaire ait écarté trop de critiques récents.

A cet égard, il faut mettre à part la brève et incisive étude de Mr. Moody, qui appartient sans conteste à la critique littéraire par son orientation centrale, mais qui s'adresse à tout lecteur intelligent plutôt qu'à un public limité de spécialistes. Ce travail touche aux questions importantes et fait plus de place que celui de Leaska à l'arrière-plan culturel. Cependant, pour défendre le mieux possible la cause de Virginia Woolf, Moody se situe dans la tradition critique anglaise et use du langage propre à sa génération, ce qui entraîne une telle accumulation de références et de jugements que nous retombons alors, sous une forme plus complexe, dans l'erreur de Leaska. Si je comprends bien Moody, le vrai sujet de *Jacob's Room* serait la civilisation édouardienne et la Guerre de 1914, plutôt qu'une expérience sur la forme et sur l'ontologie. *Mrs. Dalloway* (« œuvre mineure et imparfaite ») serait essentiellement une satire et, pour Moody, Clarissa est plus vraisemblablement en parallèle avec Sir William Bradshaw qu'avec Septimus Warren Smith : « Le défaut essentiel dans la dramatisation de la " mort dans l'âme " de Clarissa Dalloway est que ses liens avec ses doubles Bradshaw et Septimus ne sont pas rendus d'une façon assez directe pour vraiment toucher l'image d'elle-même dans laquelle elle se complaît[18]. »

Admettant en fait que le roman n'est pas ce pour quoi il le prend, il traite de « défaut crucial » ce qui ne concorde pas avec l'idée qu'il a choisi de s'en faire. Ailleurs, remarquant à juste titre que Virginia Woolf traite de « l'absence d'une vitalité épanouie », et que par conséquent elle doit aspirer de tout son être à cette qualité qui lui manque, il infère de là, de manière assez surprenante, que Mrs. Manresa dans *Between the Acts* serait une authentique « enfant de la nature » à l'état sauvage[19]. Et toujours pour montrer l'insuffisance de la notion d'accomplissement chez Virginia Woolf, Moody met en parallèle le fameux passage rythmique du premier chapitre de *The Rainbow*, citation courante chez les interprètes de Lawrence qui s'attachent seulement à l'aspect vitaliste de son œuvre, en négligeant les nuances critiques et corrosives de sa prose. Ménageant ainsi la chèvre et le chou, Moody fait l'éloge de Woolf dans un domaine où elle est le moins elle-même. Il la présente comme plus proche de Lawrence et plus traditionnelle qu'elle le fut jamais dans son art. Il exprime son admiration pour l'aspect grossier et imparfait de la kermesse, dans *Between the Acts*; il écrit avec enthousiasme : « On n'y trouve aucune trace de l'hystérie de l'esprit littéraire isolé et aliéné » (p. 85), ce qui équivaut à rejeter avec désinvolture tant d'écrivains européens de Baudelaire à Beckett. Moody insiste enfin sur le travail de la romancière tendant à la projection d'un « tout ordonné », cela dans une perspective de morale positiviste. Tels sont donc les *obiter dicta* d'un critique dont les intentions, en ce qui concerne Virginia Woolf, sont assez proches de ce que sont ce matin les miennes.

Ainsi il ne semble pas que la critique récente ait réellement éliminé les objections assez grossières qu'on adresse en général à l'œuvre de Virginia Woolf et dont la plupart appartiennent à la liste des « notions dépassées » telle que l'a établie Robbe-Grillet. Ou bien l'on

nue à situer Virginia au premier rang des écrivains
neurs », ou bien on la rejette au nom d'un tradi-
alisme périmé; ou bien l'on manifeste à son égard
un enthousiasme que, même quand on l'exprime avec
autant de soin, de justesse et de savoir que Jean Guiguet,
on accepte trop facilement de faire reposer sur des
options personnelles; ou encore, à la manière de Moody,
tout en essayant de reconnaître et de définir certaines
qualités, on s'attache surtout à des critères de référence
et de maturité. Personne n'a soutenu Virginia Woolf
avec assez de force et de conviction pour aboutir à cette
révision de l'histoire de la littérature anglaise contemporaine qu'entraînerait l'acceptation sans réserve de tout ce
qui est implicite dans les qualités qu'on reconnaît en
général à Virginia. Je pense avoir montré que la difficulté
ne vient pas ici de la force même des arguments négatifs.
Une attitude si commune doit répondre à un climat et
à un contexte plutôt qu'elle ne tiendrait aux limites
personnelles et au tempérament propre de certains critiques. Ne sommes-nous pas en présence d'un trait central
dans la vie artistique et littéraire de l'Angleterre contemporaine : l'assimilation imparfaite de l'art moderne et la
résistance qu'on lui oppose ? A l'origine, cette résistance
n'a pas eu des effets uniquement négatifs. Elle fut,
jusqu'à un certain point, une source de tension créatrice
pour des écrivains comme Lawrence, Eliot, Joyce et
Woolf elle-même, mais la longue indifférence des philosophes anglais à ce qui venait du continent, et certaines
attitudes vulgairement réactionnaires dans la critique
littéraire contemporaine ont abouti à une étroitesse de
vue et au développement de l'esprit de clocher. Il me
semble que l'art moderne implique avant tout des conséquences épistémologiques par le déplacement de sensibilité qu'on discerne à son origine et par les tendances
qu'il affirme et développe de façon très caractéristique.

En réaction contre les certitudes empiristes et contre

la logique linéaire du siècle dernier, le très instable mélange de liberté et de contrainte, de puissance et d'impuissance, qui caractérise l'expérience du XXème siècle, substitue à Dieu une absence sentie comme telle, remplace la syntaxe par des images discontinues, le progrès historique par la répétition, la scène à l'italienne par un espace vide au milieu du public. Il prétend libérer l'individu des cadres sociaux de la patrie, de l'Eglise et de la famille (des « filets » d'où Stephen Dedalus voulait s'échapper), mais l'individualité ainsi affirmée – tout à fait différente de celle que défendait le libéralisme du XIXème siècle – est profondément collective, appréhendée par l'intermédiaire du corps lui-même, de l'inconscient, des fonctions médiatrices du langage et du mythe avec le conscient. (Bien entendu ce catalogue succint de certaines tendances dominantes ne fait pas une place suffisante au paradoxe des courants contraires comme la pensée sociale de Hulme, d'Eliot et de Lawrence). Il était naturel qu'un tel mouvement eût peu d'effet en Angleterre où ses partisans étaient pour la plupart étrangers (Pound et Eliot), irlandais (Yeats et Joyce) ou en exil (Lawrence). L'Angleterre avait été si brillamment le centre moteur de la civilisation empiriste et libérale qu'elle put subir sans broncher le choc de la Grande Guerre et ceux de la relativité et de la psychanalyse. Certes, dès avant 1914 Forster pouvait formuler son diagnostic sur les Wilcox, mais le ton et le style de la vie publique britannique, dans les années 30 et même dans les années 40, conserva bien des traits du libéralisme victorien et édouardien. L'opposition traditionnelle en Angleterre était représentée par un esthétisme flamboyant remontant aux années 1890, dont les Sitwell étaient les archiprêtres et dont Bloomsbury fut certainement une des paroisses.

Tandis que les intellectuels de moindre rang que les génies créateurs eux-mêmes absorbaient et passaient au crible cet art nouveau – processus qui s'étendit nécessairement sur deux ou trois décennies – deux nouvelles vagues de changement culturel défilèrent sur les rivages britanniques.

L'une, reflétant la situation de l'Angleterre détachée du continent européen et à maints égards à mi-chemin de l'Amérique, fut l'influence de la nouvelle culture américaine : films, voitures, valeurs de consommation qui leur sont associées. Cette invasion, pour l'Anglais intelligent, faisait mieux ressortir les vertus culturelles de la bourgeoisie du XIXème siècle et d'une civilisation rurale plus ancienne encore, celle-là éthique et humaniste, celle-ci coutumière, organique et simple, en dépit des éléments hiérarchiques, et même oppressifs, communs à l'une et à l'autre.

La deuxième vague fut le retour, peut-être inévitable et justifié, de l'art moderne à des soucis d'ordre social et politique (une fois gagnés les combats préliminaires au niveau du langage et de la sensibilité). Ce mouvement fut accéléré et intensifié par les troubles économiques des années 30, la montée des dictatures en Europe, la politisation de la culture. C'est la période où l'auteur de *Ash Wednesday* écrit *Murder in the Cathedral*, où l'auteur de *The Waves* écrit *The Years*, où l'auteur de *New Bearings in English Poetry* abandonne les défis de la nouvelle littérature (maintenant reconnue de second ordre) pour consacrer au grand roman du siècle précédent sa sensibilité, son énergie et sa verve polémique. Il est facile de comprendre et d'approuver les impulsions qui les poussèrent à agir ainsi, mais le résultat fut de laisser intacte une foule de travaux critiques et culturels, traditionnels, nostalgiques et rétrogrades, que les esprits les plus distingués du siècle semblaient peut-être défendre, dans le camp d'Eliot tout comme dans celui de Leavis.

Au total, la tendance était d'assimiler, d'atténuer,

de désamorcer les forces modernes, extérieures et intérieures. Après 1945, la révolution dans les domaines sociaux et éducatifs ainsi que l'aversion renouvelée pour l'Amérique (simplement parce qu'elle avait gagné la guerre 1939/45 d'une façon beaucoup plus décisive que nous) fit naître une nouvelle école de romanciers et de critiques, de tendance positiviste, depuis des esprits respectables, semi intellectuels, comme Angus Wilson, jusqu'au philistinisme habile et mordant de Lucky Jim en passant peut-être par la récente tentative de Donald Davie pour ranger Hardy, Lawrence et Graves dans une catégorie de poètes purement anglais non souillés par le maniérisme franco-américain d'Eliot et des autres[20]. La plus forte réaction à ce changement de vues dans les opinions littéraires fut celle de Leavis, mais son insistance sur la continuité majeure avec le passé demeura l'armature principale de ses travaux et son influence se fit de plus en plus conservatrice, moralisante et positiviste, en se diluant et en s'appauvrissant dans les universités et les écoles.

Dans ce contexte culturel, on a traité du scandale des modernistes anglais. Ainsi, pour Lawrence, la démarche habituelle consiste à définir le modernisme comme essentiellement une affaire de forme, et ainsi d'en détacher Lawrence – et du même coup de le transposer en « prophète » de la société et du sexe dont le message est susceptible d'être paraphrasé. On peut alors, sans difficulté, tirer les conclusions morales (ou, comme c'est le cas chez les critiques américains, superposer au texte les schémas d'antithèses éthiques et symboliques). La même démarche – qui dénature, normalise et banalise – est appliquée à Virginia Woolf, qui est aussi anglaise que Lawrence, de cette culture radicale de Bergson et de Nietzsche qui marque la libération du début du siècle. Si on ne la déclare pas « écrivain manqué » parce qu'elle n'écrit pas comme George Eliot, on la discute soit en termes de « poétisme » (elle est ainsi réduite par Lord David Decil à une esthète aux trémolos féminins), soit en termes anecdotiques en tant que membre de ce groupe bizarre et louche de colombines et d'excentriques hypersensibles que fut Bloomsbury. Voilà qui permet à Mr. Moody de rejeter toute angoisse encore que, dans son livre, il en fasse une suffisante mention pour qu'on y puisse pressentir l'approche d'un changement.

Dans ce contexte, il est grand temps pour les critiques sérieux, éclairés et favorables à Virginia Woolf – je songe surtout à Guiguet, à Moody et à Mac Laurin – de renoncer à la discrétion qu'ils ont observée si longtemps et d'exprimer publiquement et ouvertement les conclusions qu'ils semblent vouloir garder par devers eux. C'est alors seulement que pourront être résolus les grands problèmes concernant l'importance et la réputation de Virginia Woolf.

Le premier de ces problèmes concerne le rang de Virginia Woolf comme romancière. Certes les critères sont difficiles à manier, mais la réponse sera d'autant plus pertinente que le champ des comparaisons sera mieux déterminé. A titre problématique, je dirais, pour ma part, que parmi les romanciers anglais de son temps – Hardy, Forster, Bennett, Lawrence – Woolf se détache nettement. Seul Lawrence, malgré ses inégalités et ses longueurs, souffre la comparaison par la portée et l'étendue de la vie qui s'exprime dans ses romans, par l'originalité des idées et par leur mode de présentation. D'autre part, il semble tout à fait à propos de discuter l'œuvre de Virginia Woolf en parallèle avec celles de James et de Conrad, dont les soucis rejoignent substantiellement les siens. En revanche, à quelque niveau qu'on situe Joyce et Proust, elle supporte malaisément la comparaison avec eux, et elle souffre, bien entendu, d'être confrontée à des auteurs de classe internationale comme Dickens, Tolstoï, Dostoïevsky, mais son niveau s'élève beaucoup si on met son œuvre en compétition avec celles – beaucoup plus commerciales – d'écrivains comme Huxley, Compton-Burnett, Murdoch et quelques autres. Le caractère achevé de l'œuvre, la présence d'une véritable personnalité littéraire, situent Virginia Woolf tout près de Jane Austen et de George Eliot, et si George Eliot manifeste plus de densité et jouit d'une relation plus directe avec une forme d'art qui n'était pas devenue à son époque, problématique, la différence semble moins tenir à la qualité même de l'art qu'au type de sensibilité et à la situation historique (c'est un contraste analogue que je verrais entre Marvell et Donne).

Deuxièmement, en situant Virginia Woolf parmi les meilleurs des grands romanciers anglais de notre temps et en révisant ainsi l'opinion commune sur le sens de son œuvre, on clarifierait très utilement (ce qui aurait dû être fait depuis longtemps) la relation entre l'aspect éthique et l'aspect épistémologique du roman. L'opinion dominante en Angleterre est que le premier serait primordial, tandis que le second serait presque sans importance. Cette perspective flatte l'homme de la rue, traditionaliste en matière de culture; elle assure sécurité et confort au monde des apparences en sous-évaluant Woolf, Sartre et Kafka, en lisant à contre-sens une partie de l'œuvre de Lawrence, et en se montrant tout à fait incapable de comprendre Beckett et, bien entendu, l'essentiel de la littérature française depuis Proust. Si on l'interprétait correctement, Virginia Woolf pourrait nous conduire à une opinion plus équilibrée, selon laquelle ces deux aspects du roman s'interpénètrent d'une façon vitale. Que le romancier parte, comme Lawrence, d'un intérêt moral (nietzschéen) et soit ensuite conduit à ses recherches sur l'être, ou que plutôt, comme Woolf, il parte, à la façon de Hume, des problèmes de l'identité, de la solitude, de la mémoire, de l'existence des autres esprits, et aboutisse sur des exemples particuliers à des expériences riches en implications éthiques, les deux aspects se retrouvent aussi bien chez Woolf et Lawrence que chez James et Sartre. Même chez Austen et Eliot, c'est à dire chez des écrivains qui semblent suffisamment à l'aise pour évoluer à travers divers milieux sociaux, le contenu moral se fonde sur la découverte et la définition du moi à travers le sentiment d'une réalisation de l'autonomie propre à d'autres centres d'existence (Miss Bates, Grandcourt). Cet aspect, inscrit dans la prose du romancier, épargne aux romans le particularisme ou la banalité de leurs positions morales spécifiques. Problème certes trop vaste pour être ici traité sérieusement, mais que j'évoque parce qu'il se lie évidemment aux questions que posent la manière et le rang de Virginia Woolf, et qu'à ma connaissance il n'a pas encore été exploré[21].

En troisième lieu, en reconnaissant plus clairement la portée que possède l'œuvre de Woolf, il me semble qu'on enrichirait le débat critique et historique sur ce qui est réellement moderne dans la littérature anglaise et dans les autres littératures. Nous voyons là un exemple, entre autres, des problèmes qui se posent à l'écrivain lorsqu'il veut poursuivre une carrière et produire une *œuvre* malgré l'extrême rigueur des soucis et des techniques modernes. On se rappelle la répugnance de Kafka à publier ses romans, celle de Sartre à terminer les siens, mais aussi l'étonnante cassure dans la carrière poétique d'Eliot, l'exigence, chez Proust et chez Joyce, de fondre en une « somme » langage et expérience, l'appel au silence chez Beckett. Comme Yeats et Thomas Mann, Woolf est l'un de ces écrivains qui ont passé au « modernisme » après des œuvres de jeunesse de caractère plus ou moins transitionnel, où se révèle une continuité qui remonte ici à James et même à Pater; comme celui de Yeats, son style de « convertie » continue à se perfectionner, au lieu de se figer, comme celui de Pound par exemple. Ajoutons que cette « conversion » se situe juste après la période d'intense polémique et de lancement à laquelle on associe spécialement Pound, et cependant, avant le moment où des épigones comme Auden et Beckett allaient mettre en œuvres divers procédés pour échapper au dilemme entre technique et substance. Moins frénétiquement doctrinaire que ses prédécesseurs et plus féconde dans sa franchise que ses successeurs immédiats, Virginia Woolf éclaire les problèmes de continuité et de tradition. Elle nous aide à mieux comprendre notre relation actuelle avec l'art moderne de l'entre-deux-guerres, et avec le développement d'une culture nouvelle.

Pour toutes ses raisons, je souhaite vivement que les critiques de Virginia Woolf renoncent à leur excessive modestie et acceptent de s'engager à fond dans un débat qui soit à la fois explication, évaluation et polémique, et qu'ils en poursuivent les ultimes conséquences. Mac Laurin a fait quelques pas dans ce sens, ainsi que Freedman et Mac Connell[22], (dont les opinions contrastent avec celles de John Mepham[23] et avec la tendance générale des critiques américains de Woolf). En France, je présume que tout travail dans cette direction ne peut que bénéficier de la triple présence dans votre culture de la « nouvelle critique » qui met l'accent sur le codé et le spatial dans le roman, du « nouveau roman » avec son insistance anti-naturaliste sur le côté fabriqué et façonné du roman, et des reproches phénoménologiques que l'on semble accepter beaucoup mieux de ce côté ci que de l'autre côté de la Manche.

NOTES

1. Traduit de l'anglais par Christine Giudici et Suzanne Lévy.
2. « A minor talent [...] who upheld aesthetic and spiritual

values in a brutal, materialistic age » (F. W. Bradbrook in *The Pelican Guide to English Literature*, 7, *The Modern Age*, 268); « the pattern of art as artifice [...] limits the ultimate scale of her modernism » (M. Bradbury in *The Sphere History of Literature in the English Language*, 7, *The Twentieth Century*, 202).

3. « The Philosophical Realism of Virginia Woolf » in S. P. Rosenbaum (Ed.), *English Literature and British Philosophy*, 1971.

4. Allen McLaurin, *Virginia Woolf, The Echoes Enslaved*, 1973.

5. D. S. Savage, *The Withered Branch*, 1950, 96.

6. « She is so splendid as soon as a character is involved [...] but when she tries to give her impression of inanimate objects, she exaggerates, she underlines, she poeticizes just a little bit ». D. Sutton (Ed.), *Letters of Roger Fry*, 1972, 598.

7. « Notes of the style of Mrs. Woolf », *Scrutiny*, (1932), 36. Depuis 1970, Miss Bradbrook n'est plus d'accord avec son ancien jugement.

8. Empson in E. Rickword (Ed.), *Scrutinies II* (1931) sp. p. 211; Daiches, *Virginia Woolf*, 1945; Auerbach, *Mimesis*, 1953, ch. 20.

9. M. Merleau-Ponty, *Phénoménologie de la perception*, 1945. *Cf.* à la fin de la deuxième partie les remarques sur la « sorte d'essence de la mort toujours présente à l'horizon de ma pensée ».

10. Arnold Kettle, *An Introduction to the English Novel*, 1953, II 105.

11. W. H. Mellers, « Mrs Woolf and Life », *Scrutiny VI* (1937), 72.

12. « Franz Kafka : On the tenth Anniversary of his Death », *Illuminations*, 1970, 131.

13. Sur Pound dans *New Bearings in English Poetry*, 1932; sur Hardy dans « Reality and Sincerity : Notes on the Analysis of Poetry », *Scrutiny XIX*, 1952, 90-98; sur *Four Quartets* dans *Scrutiny XI*, 1942-43, 60-71, 261-267, et *English Literature in our time and the University*, 1969, ch. IV.

14. « The Hinderland of Thought » in *Experience into Words*, 1963, 190.

15. *Virginia Woolf's To the Lighthouse : A Study in Critical Method*, 1970.

16. Pour un point de vue opposé et plus suggestif, *cf.* L. Goldmann, *Pour une sociologie du roman*, 1970, 49-52.

17. *Virginia Woolf and her Works*, 1965, p. 297.

18. A. D. Moody, *Virginia Woolf*, 1963, 14-17, 18, 27.

19. Pp. 7, 84 ; *cf. Between the Acts,* éd. unif., p. 52, « So with blow after blow, with champagne and ogling, she staked out her claim to be a wild child of nature... »

20. *Thomas Hardy and British Poetry*, 1973

21. Mr. MacLaurin esquisse un rapprochement avec Sartre à propos d'*Orlando*, mais il n'établit pas de véritable lien entre Clarissa et Rhoda, d'une part, Roquentin, d'autre part.

22. R. Freedman, *The Lyrical Novel*, 1963; F. D. McConnell, « Death among the Apple Trees : *The Waves* and World of things », *Bucknell Review XVI*, 1968, reproduit dans C. Sprague (Ed.) *Virginia Woolf : A Collection of Critical Essays*, 1971.

23. « Figures of Desire : Narration and Fiction in *To the Lighthouse* » dans G. Josipovici (Ed.) *The Modern English Novel : The Reader, the Writer and the Work, 1976.*

DISCUSSION

Jean GUIGUET : Si je vous ai bien compris, vous reprochez aux critiques de se tenir à cheval entre deux positions, l'une plus traditionnelle, l'autre plus moderne. Il vous semble que nous n'arrivons pas à décrocher en quelque sorte des critères valables pour la littérature disons pré-joycienne. Nous louons Virginia Woolf pour certains aspects de son œuvre, mais nous n'allons pas jusqu'au bout de notre éloge parce que nous souhaitons toujours trouver des personnages, une éthique, une intrigue, etc. Mais en même temps nous jugeons son œuvre quelque peu dépassée.

Anthony INGLIS : Il serait certainement injuste de considérer tous ceux qui ont écrit sur Virginia Woolf comme coupables de miser sur deux tableaux. Je ne voudrais pas qu'on puisse penser que je vous aie mis en accusation sur le même banc que Mitchell Leaska et A.D. Moody. En ce qui vous concerne, Jean Guiguet, je regrette seulement que vous ne soyez pas allé jusqu'au bout de votre raisonnement. C'est sans doute compréhensible étant donné, d'une part, que vous écriviez en 1962 et, d'autre part, votre qualité d'étranger ainsi que le cadre universitaire de votre travail. Les structures de sens et d'images que vous dégagez des romans me semblent excellentes. Je trouve émouvante la lecture de Virginia Woolf qui est implicite dans votre façon d'écrire. Cependant, bien que vous fassiez deux fois allusion à Kierkegaard, vous n'en tirez pas suffisamment parti.

Françoise PELLAN : Je crois que nous sommes suffisamment éclairés sur vos critiques, mais ce que nous voyons moins, c'est l'aspect positif de votre propre lecture.

Anthony INGLIS : Si je devais dire brièvement ce que j'admire le plus chez Virginia Woolf, ce qui me semble vraiment important chez elle, je signalerais d'abord le traitement qu'elle fait du langage, lequel implique une grande sensibilité, comme en suspens, des impressions, des faits, une part d'interprétation. Je signalerais une combinatoire qui invite le lecteur à assembler les éléments du contenu, qui rend possible la communication de l'expérience vécue, beaucoup mieux que le langage habituel, discursif et purement concret. Un autre de ses mérites est sa façon d'explorer les confins de la conscience individuelle et de la communication par sympathie. Il y aurait beaucoup à dire sur Virginia Woolf écrivain de la solitude, mais en même temps elle cherche constamment les moyens de franchir les frontières de l'être, de les faire céder devant certaines sortes exceptionnelles d'expérience.

Maurice de GANDILLAC : J'avoue que j'aurais aimé plus de précisions sur certains de vos concepts opératoires. L'usage du mot « moderne » m'a semblé imprécis. Et je saisis mal le sens de votre opposition entre éthique et épistémologie. J'aimerais aussi y voir plus clair en ce qui concerne le réalisme, d'une part, et, d'autre part, l'analyse structurelle du langage ou de la production du sens.

Anthony INGLIS : Il est certain que, jusqu'à Dostoïevsky, les romanciers du XIXe siècle ne se sont pas beaucoup souciés de problèmes épistémologiques. Ils semblent capables d'appréhender la surface d'un réel qu'ils acceptent sans trop de difficulté, mais ils laissent de côté les problèmes qui se posent quant à la relation qu'on peut avoir avec autrui, ou du moins ils acceptent une sorte de surface sociale admise d'un commun accord à travers des incidents ou des événements qui en eux-mêmes n'ont rien de problématique. Ensuite je verrais, surtout à partir d'Henry James dans la littérature anglaise, une tradition dans laquelle le jugement de réalité porté sur la totalité de la situation devient douteux et subjectif, où cette totalité est sentie comme une menace souterraine, notamment dans des textes comme *le Tour d'écrou* et *les Ambassadeurs.* Dans une troisième période, plus moderne, les écrivains s'attaquent avec un certain succès à cette perte de confiance dans la surface extérieure du réel en tant que sujet adéquat pour l'artiste. Et là, je pense particulièrement à Kafka et à Virginia Woolf. Mais alors les critiques de la culture se plaignent de vivre dans une période catastrophique, où l'on a perdu la stabilité du XIXe siècle. Acculés à construire quelque chose qui puisse nous rendre la joie de vivre, nous découvrons que le langage lui-même nous offre une fois de plus le fondement de la communication et de la constitution de l'univers. Pour préciser ce point, j'aimerais disposer d'une meilleure formation philosophique, mais je me permets de vous renvoyer à l'essai de S.P. Rosenbaum, *The Philosophical Realism of Virginia Woolf.*

Eddy TREVES : En parlant d'épistémologie, vous vouliez surtout, je crois, évoquer la quête de la connaissance comme telle, qui est caractéristique, en effet, de toute une littérature récente. D'autre part, il faut bien dire que l'œuvre de Virginia Woolf présente un caractère essentiellement poétique, ce qui explique qu'elle soit moins systématisée que celle de Proust ou de Joyce. Peut-être auriez-vous pu évoquer ici Mallarmé, dont la sensibilité me semble proche de la sienne.

Raïssa TARR : Au risque de mécontenter une partie de cet auditoire, permettez-moi de dire que l'œuvre de Virginia Woolf me semble typiquement féminine. Je ne crois pas qu'une femme puisse faire un roman comme Joyce ou Proust. Quant à Henry James, que vous avez semblé situer au-dessus de Virginia Woolf, j'avoue que je trouve ses nouvelles beaucoup plus significatives que ses grands romans comme *les Ambassadeurs.*

D'autre part, à plusieurs reprises, vous avez opposé la littérature du XIXe siècle à celle du XXe siècle, ce qui me paraît une distinction très arbitraire. Un livre comme *la Guerre et la paix* contient déjà tout ce que vous présentez comme roman-somme, lorsque vous évoquez Joyce et Proust.

Anthony INGLIS : Il est vrai qu'aucun roman moderne n'est l'équivalent de *la Guerre et la paix*. Mais est-ce par simple accident de naissance ou de culture qu'il n'y a pas eu de Tolstoï moderne ? Ou bien faut-il incriminer une modification dans la civilisation, dans les possibilités de la vie et dans celles de l'art ?

Pour ce qui est de la question de la poésie chez Virginia Woolf, je la trouve extrêmement difficile, car le mot poésie, abondamment utilisé dans les discussions critiques en Angleterre, a été pris le plus souvent de façon péjorative. Quand vous dites « Ce n'est pas réellement une romancière, c'est un poète », renoncez-vous par là aux exigences rigoureuses concernant la structure du roman ?

Jean GUIGUET : Il me semble que la prose est ce qu'on

pourrait appeler une forme d'expression directe, la poésie plutôt une forme d'expression indirecte ; c'est justement là qu'interviennent les problèmes du réalisme, de l'épistémologie et de l'éthique.

Eddy TREVES : J'ai seulement voulu souligner chez Virginia Woolf un sentiment poétique de la vie. Or il me semble qu'on ne peut pas exprimer un sentiment poétique de la vie dans le langage de Balzac.

Jean PAGE : Il faudrait rappeler ici les distinctions de E.M. Forster dans *Aspects of the Novel* ; il y traite des romans poétiques, et notamment des *Hauts de Hurlevent.*

Maurice de GANDILLAC : Plus important peut-être est la distinction entre vision partielle et vision totale. Raïssa Tarr évoquait tout à l'heure, avec beaucoup de raison, le caractère significatif de certaines brèves nouvelles de James. Elles atteignent, selon leur mode propre, à une sorte de totalité. Croyez-vous qu'une femme serait incapable d'atteindre à cette vision de la totalité ? Sans même parler de George Eliot, je penserais volontiers que George Sand a eu une vision globale du monde, même si nous la jugeons romantique ou mineure, et que cette vision se retrouve dans chacun de ses livres.

Jean GUIGUET : J'en dirai autant de Virginia Woolf. Il n'est pas nécessaire qu'une telle vision s'exprime dans un ouvrage unique comme chez Proust ou dans un ouvrage prédominant comme chez Joyce, dont le cas d'ailleurs est instructif car la vision que nous trouvons dans *Ulysses* est, en fait, reprise dans *Finnegan's Wake,* et elle était déjà implicite dans *Portrait of the Artist.* Chez Virginia Woolf, ce qui apparaît comme tentative imparfaite, encore élémentaire, avec *Voyage Out,* sera repris plusieurs fois pour aboutir à *The Waves*, et même peut-être, mais de façon plus réduite, à *Between the Acts*.

Raïssa TARR : Puisqu'on a cité le nom de George Eliot, j'avoue que j'hésiterais à trouver dans son œuvre l'équivalent, même fragmenté, d'une sorte de somme. Je ne crois pas qu'on trouverait chez elle les phrases-clés qui nous feraient connaître son attitude envers la vie. Mais cette impuissance n'est pas liée à son sexe, puisque je n'en dirais pas autant de Virginia Woolf, et cela dans la mesure justement où elle est un poète.

Maurice de GANDILLAC : A ce propos, Eddy Trêves pourrait-elle préciser sa comparaison avec Mallarmé ?

Eddy TREVES : Je songe à la méthode associationniste ; les images naissent et s'agencent dans un déroulement discontinu.

Maurice de GANDILLAC : C'est vrai aussi des *Essais* de Montaigne !

Eddy TREVES : Montaigne se situe sur un plan intellectuel ; pour Virginia Woolf, comme pour Mallarmé, il s'agit de la manière dont les choses sont perçues.

Jean PACE : Est-ce propre à Mallarmé ?

Anthony INGLIS : Il me semble que ce qui le caractérise est surtout son usage du langage.

Eddy TREVES : Mais pour la quête d'un sens fondamental, la recherche de la connaissance par la voie de la poésie et c'est ce qui le rapproche, je crois, de Virginia Woolf.

Jean GUIGUET : Je pense tout à fait comme vous que Virginia Woolf s'exprime par un discours poétique et qu'on ne peut la critiquer qu'en tenant compte de ce rapport entre l'objet et le sujet, tout différent de ce qu'il est dans un discours en prose.

Jean PACE : Croyez-vous qu'en écrivant *The Years,* Virginia Woolf a voulu sortir du monde de la poésie et inclure dans son œuvre un peu plus de prose ?

Jean GUIGUET : Je crois qu'elle a voulu inclure autre chose, mais qui était plutôt du concret que de la prose. Le mot « concret » est important chez elle, car son contact avec le monde se fait par les sens. Mais elle parle souvent aussi de « réalité » et, par là, je crois qu'elle veut dire quelque chose de plus universel et qui correspond peut-être justement à la prose. Elle a pensé qu'un livre comme *The Waves* décrochait trop du discours disons prosaïque, c'est-à-dire de caractère plus universel, moins chargé de connotations personnelles. A la limite, le discours poétique n'est compris que par le poète. Ce que Virginia Woolf a tenté de faire, c'est atteindre à un niveau supérieur d'intelligibilité.

Maurice de GANDILLAC : Sans vouloir terminer cette discussion sur une note trop polémique, j'aimerais qu'on revienne à l'exposé d'Anthony Inglis et que Jean Guiguet présente un peu plus explicitement sa défense.

Jean GUIGUET : En effet, je ne suis pas sûr que les griefs qui m'ont été faits ici, de façon d'ailleurs tout à fait courtoise, soient pleinement justifiés. Certes, j'ai tenté de répondre aux critiques qui accusaient Virginia Woolf de ne pas créer de personnages, de ne pas présenter des intrigues telles qu'on les trouve dans les romans du XIXe siècle. Pourtant je crois avoir dit avec beaucoup de précision et de fermeté que tels n'étaient pas les objectifs de Virginia Woolf, qu'elle avait dit noir sur blanc qu'elle ne cherchait pas à créer des personnages, ni à raconter des histoires. Il serait donc injuste de m'accuser d'être resté à cheval entre deux positions.

Anthony INGLIS : Telles n'étaient aucunement mes intentions. Je me suis sans doute mal exprimé et je vous prie de m'en excuser. J'ai trouvé vos analyses très substantielles et très sensibles, et j'ai seulement regretté que vous ne leur ayez pas donné tout le tranchant polémique auquel elles pouvaient prétendre. Mais il y avait peut-être là de votre part une décision tactique délibérée.

Paule SHOR : Des remarques d'Anthony Inglis, je retiendrai surtout ce qu'il a dit sur la quête de la communication dans l'œuvre de Virginia Woolf.

Jean GUIGUET : On pourrait parler d'une sorte de roman ou d'art de la connaissance.

Maurice de GANDILLAC : Plutôt de la communication que de la connaissance proprement dite.

Jean GUIGUET : Toute tentative de communication suppose d'abord un mode de connaissance.

nombre de cercles concentriques s'élargissant autour de Virginia Woolf, le premier qu'il nous faille considérer est celui qu'a tracé Peter Fawcett : Bloomsbury et la vie littéraire en France. C'est peut-être le plus éloigné du centre, puisqu'il traverse la Manche. Peter Fawcett a voulu nous montrer que la vie littéraire en France se développait de tout autre façon qu'autour de Virginia Woolf. Il nous a décrit entre les différents auteurs, notamment autour de la *N.R.F.*, des relations beaucoup plus étroites et surtout beaucoup plus littéraires. Je veux dire des rapports dominés par un idéal d'écriture, par une esthétique de l'expression verbale. Au contraire, entre les membres de Bloomsbury, les relations sont plutôt d'ordre personnel, et c'est ce qui a, je crois, toujours tenu en échec les historiens qui ont voulu étudier ce groupe comme un groupe littéraire.

Après l'exposé général de Peter Fawcet qui couvrait ce cercle concentrique le plus extérieur, nous arrivons, avec la lecture du texte de David Garnett et l'exposé de Gabriel Merle, à deux échantillons de membres du groupe : Maynard Keynes et Lytton Strachey. David Garnett a mis l'accent beaucoup plus sur les caractéristiques littéraires de Maynard Keynes que sur les théories économiques qui l'ont rendu célèbre. Et le choix même du personnage mettait en évidence la nature très spéciale du lien qui pouvait unir entre eux les membres de Bloomsbury. Sommet dans l'histoire de la pensée économique du XXe siècle, Maynard Keynes ne présente, en effet, à cet égard, aucune affinité discernable avec les idées d'une Virginia Woolf. Il était intéressant cependant de voir Maynard et Virginia se rejoindre en la personne de Lytton Strachey, par certaines affinités de style, peut-être une certaine forme d'esprit. Je n'insiste pas – pour ne pas trop favoriser ma thèse – sur le caractère peut-être contestable de ces rapprochements, moins significatifs peut-être que ne le pense Fawcett.

Avec la présentation de Lytton Strachey par Gabriel Merle, nous sommes entrés de plain pied dans le problème des rapports entre deux membres, pour ainsi dire homologues, du groupe de Bloomsbury. De la très fine et très complète analyse que nous a donnée Gabriel Merle, je retiendrai seulement que le sens historique, l'accent mis sur le rationnel et l'organisé, cette identification d'une vision du monde avec un personnage et une destinée, sont des caractères qui se retrouvent aussi, en filigrane et plus qu'en filigrane, dans certaines œuvres de Virginia Woolf. Faudrait-il en conclure qu'elle a subi l'influence de Lytton ? Je sais gré à Gabriel Merle d'être resté prudent dans ses conclusions. Il nous a montré les parallélismes entre certains textes, certaines activités de Virginia, certains aspects de ses romans et de sa critique et, d'autre part, des traits analogues chez Lytton. Mais l'un aurait-il influencé l'autre ? Y aurait-il plutôt communauté venue de leur amitié ? En fait, s'ils sont restés très unis, s'il y a eu entre eux forte et durable sympathie, c'est sans doute parce qu'ils portaient le même regard sur les êtres, sur le devenir historique et sur le monde.

David Daiches nous a parlé ensuite du Londres de Virginia Woolf ; là nous quittions le groupe des amis pour pénétrer au centre même du cercle. Pourtant, en présentant le cadre de certains romans de Virginia Woolf, David Daiches nous a montré que c'était aussi le cadre de tout le groupe. Autrement dit, dans cet espace qu'il a tenté de nous définir, espace qui pourrait être anonyme, purement géographique et topographique, David Daiches a inscrit un certain nombre d'itinéraires qui sont communs aux personnages de Virginia Woolf, aux membres du groupe de Bloomsbury et à Virginia Woolf elle-même. Ainsi nous avons vu se confondre, en quelque sorte, un certain nombre de réalités diverses, juxtaposées, formant comme un univers ou un espace ayant sa qualité *sui generis*, un espace qui n'est ni imaginaire, ni collectif, ni individuel, ni purement littéraire. Au-delà de cet exposé – et c'est peut-être pourquoi je l'ai tout particulièrement apprécié – on saisit la difficulté même de notre problème, celui des relations entre individu et un groupe. Trame extrêmement complexe de rapports qui se situent à différents niveaux et portent sur divers ordres de réalités, l'exposé de David Daiches faisait de la sorte transition parce qu'il se situait au point où convergent Bloomsbury et Virginia Woolf.

Marie-Paule Vigne a étudié dans toute l'œuvre de Virginia Woolf le thème majeur de l'eau, thème qui paraît dès le premier roman et se maintient jusqu'au dernier. Sans doute il eût été souhaitable que d'autres thèmes fussent analysés avec le même soin, mais pour ce faire il nous aurait fallu, non pas dix, mais vingt ou trente jours. Il fallait donc nous limiter et je crois que, comme l'a très bien montré Marie-Paule Vigne, le caractère central de l'eau, sa prédominance, sa continuité, mais aussi sa valeur de symbole, justifiaient ce choix. A travers l'eau, nous avons découvert ce qui était le plus important pour Virginia Woolf, ce par quoi et pour quoi, dans un monde qui n'est plus le sien, elle continue à nous toucher.

Ayant atteint le centre, il ne restait qu'à revenir en arrière pour tenter d'évaluer ce que Virginia Woolf pouvait devoir à son entourage. D'après le titre que nous avait communiqué le professeur Inglis : *Bloomsbury, Cambridge and England*, j'avais attendu cette sorte de mise en perspective de Virginia dans son contexte historico-géographique. Anthony Inglis nous a apporté autre chose, non moins utile. Comblant une lacune de notre programme, il nous a fait comprendre de quelle manière Bloomsbury et Virginia Woolf ont été appréhendés par la critique. Il nous a donné une revue lucide, pertinente, acérée, des jugements favorables et défavorables portés sur les personnes et sur les œuvres.

Tel est, je crois, l'itinéraire qu'ensemble nous avons parcouru. Avons-nous vraiment progressé vers la réponse aux questions que nous avions posées au départ ? Je ne suis pas sûr que nous ayons réussi à établir toujours le lien entre les analyses, souvent intéressantes, qui ont été présentées ici. Néanmoins, en ce qui me concerne, je crois avoir légèrement modifié la position extrême que j'avais d'abord présentée en disant qu'à mes yeux Bloomsbury n'était qu'un mythe. Je dois à notre colloque d'avoir découvert une réalité que je résumerais à peu près de cette façon. A partir du moment où les Stephen, après la mort de Leslie, s'installent à Bloomsbury, ils constituent, avec leurs amis, un groupe uni par des relations que je qualifierais de sentimentales et d'intellectuelles. Ce Bloomsbury original est pour moi le seul qui ait une réalité humaine et historique véritable. Après la guerre, les différents membres du groupe, ayant atteint une certaine maturité, se sont chacun développés et manifestés à leur manière, Lytton Strachey comme biographe, Virginia Woolf comme romancière, Maynard Keynes comme économiste. Roger Fry, Clive Bell, Vanessa Bell et Duncan Grant constituent l'aile « Beaux Arts », (dans laquelle, comme nous l'avons vu, Maynard Keynes fera quelques incursions), et je ne pense pas qu'aucun d'eux eût accepté d'infléchir, encore moins de perdre, son identité au profit d'une étiquette globale.

Nous avons donc un groupe qui reste uni par des liens d'affection et d'estime, mais dont chacun des individus poursuit son épanouissement selon ses lois propres. Que leur talent, ou leur génie, soit reconnu par une partie du public britannique provoque une réaction automatique dans d'autres milieux. Je crois – ce n'est qu'un hypothèse et je la présente comme telle – que cette réaction a crée le mythe de Bloomsbury, qu'elle

DISCUSSION

Margaret WILSON : Après tout ce qui a été dit, et qui était très intéressant, une question demeure présente à mon esprit sur laquelle j'aimerais avoir votre point de vue. Dans cette période qui correspond à l'existence de Bloomsbury, quelle que soit la réalité qu'on mette derrière le terme, il s'est produit des événements cataclysmiques dans le monde : la guerre de 1914, ses conséquences, la Révolution Russe, la grève générale en Angleterre, la montée du fascisme et la guerre d'Espagne débouchant sur la deuxième guerre mondiale. Virginia Woolf et surtout Leonard Woolf ont été actifs sur la scène politique, lui au Labour Party et dans la défense de la Société des Nations. Mais en dehors de cela, ne peut-on dire que le groupe de Bloomsbury est resté dans sa tour d'ivoire ? N'est-ce pas là une sorte de faille, peut-être dans une certaine mesure un motif de l'opposition que le groupe a pu susciter, et par conséquent aussi une définition de Bloomsbury ?

Jean GUIGUET : Je crains que la seule réponse que je puisse vous donner soit trop oblique pour vous satisfaire. Elle est fondée sur l'idée que je me fais de l'engagement. L'engagement d'un artiste consiste-t-il à descendre dans la rue, que ce soit pour tirer à la mitraillette ou pour distribuer des tracts ? Si tel est votre avis, on peut sans doute accuser, sinon le groupe de Bloomsbury, du moins disons certains de ses membres, de s'être enfermés dans leur tour d'ivoire. Il y a eu pourtant l'objection de conscience de Lytton, et on ne peut oublier que Julian Bell fut tué en Espagne en 1937. Mais je conviens que l'univers littéraire de Strachey, celui de Virginia Woolf, peuvent être considérés à première vue comme des univers réactionnaires ou bourgeois, dans la mesure où n'y apparaît pas de façon très claire la conscience du drame en train de se préparer. Il me semble pourtant qu'au moins dans l'œuvre de Virginia Woolf (je ne connais pas assez celle de Strachey pour me prononcer sur son cas) on pourrait apercevoir quelque prémonition de certains mouvements sociaux, politiques ou historiques. Même si elle est un peu déphasée, une œuvre de jeunesse comme *Night and Day* est dominée par les problèmes du féminisme. De 1919 à sa mort, Virginia Woolf a considéré la situation féminine à peu près comme elle se présentait dans sa jeunesse, vers 1900 ou 1905. Malgré ce décalage, il est significatif que la position de la femme dans la société, dans la vie politique et économique, soit restée pour elle une question fondamentale. N'y a-t-il pas là un engagement au sens le plus précis du terme ?

Eddy TREVES : On pourrait dire aussi que son œuvre exprime l'angoisse d'une certaine bourgeoisie.

Jean GUIGUET : C'est dire que l'engagement se manifeste aussi de cette manière. Il se peut qu'un lecteur de Virginia Woolf tout d'un coup dépasse cette angoisse qui ne dit pas son nom, et qu'il en découvre les causes, en quelque sorte, au deuxième degré. Nous sommes loin alors de la fameuse tour d'ivoire.

Françoise PELLAN : Vous jugez décalé le féminisme

de Virginia Woolf. C'est sans doute vrai dans *Night and Day,* mais beaucoup moins dans *Une chambre à soi* et dans *Trois Guinées.*

Jean GUIGUET : Il est difficile à un homme de sentir exactement ce que signifie le problème traité dans *Une chambre à soi,* qui considère le cas de la femme écrivain et de son développement intellectuel. D'après mon expérience d'adolescent presque contemporaine de la publication de ce livre (1929), je n'ai pas eu l'impression que les femmes en ce temps-là aient été brimées intellectuellement. Certes Virginia Woolf n'as pas fréquenté Cambridge comme ses frères, mais elle a pu travailler dans la bibliothèque de son père, et je ne crois pas qu'elle en ait mal profité. Il est absurde, comme je l'ai entendu faire récemment, de la traiter d'inculte. Elle était probalbement beaucoup plus cultivée que beaucoup de ceux qui ont passé quatre ans à l'université, en France ou en Angleterre. Angleterre.

Françoise PELLAN : Il y a toujours un certain décalage entre la réalité et sa prise de conscience. C'est pourquoi ce que dit Virginia Woolf de la condition féminine reste important.

Eddy TREVES : *Une chambre à soi* tente de dépasser l'aliénation féminine.

Jean GUIGUET : C'est possible. Mais je donnerais surtout raison à Françoise Pellan en ce qui concerne *Trois Guinées,* parce que ce livre, indépendamment de la question féminine, est un pamphlet d'actualité contre le fascisme, aussi engagé que les textes que Malraux ou Giono publiaient vers 1935, dans *Europe.* On peut contester certains aspects littéraires d'un ouvrage qui manque de cohésion, mais il révèle beaucoup de passion et de fermeté. C'est un réquisitoire qui pouvait éveiller des échos chez tous ceux que rongeait le sentiment – ou même seulement le pressentiment – d'une catastrophe imminente.

Françoise PELLAN : L'une des personnes que Viviane Forrester a interrogées pour son émission de radio – il s'agit d'un homme – déclare que, dans *Trois Guinées*, Virginia Woolf ne pouvait parler sérieusement lorsqu'elle prétendait que la femme appartient à une minorité exploitée. Si aujourd'hui encore un homme réagit ainsi, on imagine le scandale qu'a pu représenter le livre en son temps.

Eddy TREVES : A propos de Bloomsbury et de la *N.R.F.*, le groupe de Bloomsbury était beaucoup moins clos sur lui-même que celui de la *N.R.F.*, composé exclusivement d'écrivains. Parmi les amis de Virginia Woolf, il y avait des gens comme Maynard Keynes, comme Lytton Strachey, comme Roger Fry, etc.

Jean GUIGUET : C'est justement ce qui rend si difficile de concevoir cette fameuse doctrine de Bloomsbury, qui aurait concerné à la fois, et de façon sérieuse, l'économie, la littérature, la peinture.

Jean PACE : On ne peut pas nier un certain snobisme, assez caractéristique du groupe.

Jean GUIGUET : Le dédain de Bloomsbury à l'égard de ceux de l'extérieur est un phénomène commun à toutes les chapelles ! Je me rappelle avoir lu dans *Harper Magazine*, à la fin des années 40, un article très humoristique et très cinglant sur les highbrows, middlebrows et lowbrows ; il y a là une querelle éternelle qui se retrouve un peu partout de façon diffuse ; pour moi, elle n'a pas grande signification.

Maurice de GANDILLAC : On m'a parlé d'une société où ne sont admis que les personnes qui ont un quotient intellectuel de plus de 180...

Jeanne BRANSTEN : A Bloomsbury, y avait-il un critère de recrutement ?

Jean GUIGUET : Il n'y avait aucun recrutement. Ces gens-là ne faisaient pas de publicité, ils ne cherchaient pas d'adhérents, ils n'avaient pas besoin d'abonnés, il n'avaient pas de revue, ils ne voulaient rien vendre. Quelques amis s'étaient rencontrés à Cambridge ; ils ont formé ensuite un petit groupe sympathique, rien de plus. Le Bloomsbury idéologique que certains ont voulu créer reste pour moi une hypothèse sans réalité. Ce que le colloque m'aura pourtant fait voir, c'est que la conscience de l'ennemi a pu cristalliser une sorte de réalité, différente, je crois, de celle d'un groupe littéraire.

Maurice de GANDILLAC : La question pour moi – nous l'avons posée dès le premier jour et permettez-moi d'y revenir, – c'est de savoir si Virginia Woolf sans Bloomsbury serait Virginia Woolf. Autrement dit : sans Bloomsbury, sa personnalité, son génie propres se seraient-ils ou non développés et affirmés ?

Jean GUIGUET : Je vous remercie d'avoir posé cette question, en effet essentielle. Je ne peux y répondre que de façon subjective ou impressionniste. Je crois qu'il faut distinguer deux Bloomsburies. D'un côté Virginia Woolf a tiré d'un groupe d'amis la force qu'on retire de toutes les affections qui peuvent vous entourer. Pour Virginia, étant donnée sa fragilité physiologique et mentale, cet appui, cette présence autour d'elle ont été quelque chose d'essentiel. On peut même imaginer que, hors d'un groupe comme celui-là, elle se serait désintégrée, elle n'aurait rien écrit. Quant au deuxième Bloomsbury, celui qu'ont crée ses ennemis, je crois que Virginia Woolf, écorchée vive, extrêmement sensible à l'opinion, s'est sentie profondément affectée par les attaques. Elle a réagi sur le champ, avec violence. Grâce à Leonard, certaines de ces réponses sont restées dans des tiroirs, ce qui sans doute valait mieux, car elle aurait plus d'une fois jeté de l'huile sur le feu, mais l'un des griefs des anti-bloomsburites est justement que Virginia ait parfois paru les ignorer. Ils ont vu là une preuve de snobisme. Il se peut que ces attaques contre un Bloomsbury mythique aient durci dans une certaine mesure Virginia Woolf, l'aient un peu raidie dans certaines attitudes et soient en partie responsables d'un certain ton des pamphlets et particulièrement de *Three Guineas*. Je ne suis pas sûr que ce soit à son avantage. J'ai l'impression que si elle était restée plus sereine, elle aurait évité ce qu'elle appelle elle-même une certaine « stridence », c'est-à-dire une hauteur de note moins convaincante qu'un ton beaucoup plus posé. Ce Bloomsbury-là ne lui a pas été bénéfique et peut-être aussi, de même que l'autre Bloomsbury la protégeait contre la désintégration intérieure, il se peut que, dans certains cas, ces coups répétés aient fait empirer son état.

Quant à la question de savoir si le contenu intellectuel de Bloomsbury, comme groupe d'amis, a contribué ou non à l'enrichissement de Virginia Woolf, je crois qu'on peut conclure à un bilan positif. Je suppose que Keynes et Léonard devaient discuter parfois de problèmes économiques et politiques qui passionnaient sans doute assez peu Virginia, mais elle devait s'intéresser davantage à des conversations sur les arts plastiques avec les Bell ou avec Roger Fry ou, sur des questions purement littéraires, avec Lytton. Ces contacts, en tout cas, ont favorisé le développement intellectuel de Virginia Woolf, sans qu'on puisse déterminer exactement ce qu'elle doit à celui-ci ou à celui-là. Car ce qui compte, c'est l'assimilation, c'est la transmutation par le tempérament personnel de l'individu. Le milieu est un cadre favorable qui apporte des éléments pour nourrir un processus d'assimilation ; mais ces éléments en tant que tels ne sont qu'un matériau : de toute façon Virginia Woolf les aurait transformés. Le climat intellectuel dans lequel elle a vécu a été certainement essentiel à son développement entre 1904 et 1914. Plus tard, j'ai l'impression que les divers membres du groupe ont mené une vie plus séparée, individuelle ou familiale. Ce n'était plus le temps de cette effervescence juvénile qui est, je crois, et même quand il s'agit de Virginia Woolf, quelque chose de capital pour l'épanouissement d'une personnalité.

TABLE DES MATIERES

Composé en France par Eurocom SA - Paris
imprimé en Italie par La Nuova Stampa di
Mondadori - Cles (TN)
Dépôt légal 2ème Trimestre 1977
N° d'éditeur : 362.

Collection 10|18

dirigée par
Christian Bourgois

EXTRAIT DU CATALOGUE

---

adotevi	négritude et négrologues 718***
amin	l'accumulation à l'échelle mondiale t.I 1027****** t.II 1028******
anthropologie et calcul	606**** (15 f ttc)
antimilitarisme et révolution	t. I 1030****** t. II 1097******
arguments	t. I : la bureaucratie 1024*****
	t. II : marxisme, révisionnisme, méta-marxisme 1036*****
arnaud	les vies parallèles de boris vian 453 (18 f ttc)
arrabal	l'architecte et l'empereur d'Assyrie 634***
arrabal	le cimetière des voitures 735**
arrabal	l'enterrement de la sardine 734**
arrabal	fêtes et rites de la confusion 907***
arrabal	guernica 920***
arrabal	lettre au général franco (édition bilingue) 703**
arrabal	le panique 768***
arrabal	viva la muerte (baal babylone) 439**
l'art de masse n'existe pas	revue d'esthétique 1974 no 3-4 903******
artaud	(cerisy) 804***
art et science	de la créativité (cerisy) 697****
assolant	capitaine corcoran 969******
axelos	marx penseur de la technique t. I 840*** t. II 841***
bachelard	(cerisy) 877****
bailly/buin/sautreau/velter	de la déception pure, manifeste froid 810***
basaglia/basaglia-ongaro	la majorité déviante 1111***
bataille	(cerisy) 805***
bataille	l'érotisme 221***

bataille	le bleu du ciel 465**
bataille	madame edwarda, le mort, l'histoire de l'œil 781*
bataille	ma mère 739**
bazin	le cinéma de l'occupation et de la résistance 988*** (préface de françois truffaut)
beckett	mercier et camier 692**
beckett	watt 712***
beti	remember ruben 853***
bierman	la harpe de barbelés 706**
bioy casarès	l'invention de morel 953**
bloch	thomas münzer 948*****
bonitzer	le regard et la voix 1084***
borgès	histoire de l'infamie, histoire de l'éternité 184***
bory	la lumière écrit, cinéma V 694******
bory	l'obstacle et la gerbe, cinéma VI 1058******
boubou hama	le double d'hier rencontre demain 784****
boulenger	les romans de la table ronde t. II 500***
brassens	la tour des miracles 814**
breillat	l'homme facile 875*
breton	arcane 17 250**
breton	martinique, charmeuse de serpents 791*
buin	les alephs, diegopolis, suivi de la retraite de russie 979******
burroughs w.s.	les derniers mots de dutch schulz 921***
burroughs w.s.	la machine molle 545**
burroughs w.s.	nova express 662**
burroughs w.s.	le ticket qui explosa 700***
butor	(cerisy) 902******
butor	la modification 53****
castel	le psychanalysme 1046******
castoriadis	la société bureaucratique
	t. I : les rapports de production en russie 751***
	t. II : la révolution contre la bureaucratie 806***
castoriadis	l'expérience du mouvement ouvrier
	t. I : comment lutter 825****
	t. II : prolétariat et organisation 857****
cavanna	cavanna 612**
cavanna	je l'ai pas vu, je l'ai pas lu, mais...
	t. I : 962****
	t. II : 963****
	t. III : 1092******
certeau (de)	la culture au pluriel 830***
chandler	lettres 794***
change première suite	845****
change de forme	biologies et prosodies (cerisy) t. I 976******
change matériel	folie, histoire, récit (cerisy) t. II 977******
charbonnier	entretiens avec claude lévi-strauss 441**
chatelet	la naissance de l'histoire t. I 819****
	t. II 820****
les chemins actuels de la critique	(cerisy) 839****

chessex	la confession du pasteur burg 846*
chevallier	théâtre comique du moyen âge 752***
chinotti/stefansdottir	la saga de njall le brûlé 947******
christian	marchandise drogue 986***
clément (catherine b.)	
cixous (hélène)	la jeune née 984*****
clément (catherine b.)	miroirs du sujet 1004*****
cocteau	la difficulté d'être 164**
cohen	l'énergie des esclaves (éd. bilingue) 835**
cohen	poèmes et chansons (éd. bilingue) 683***
cohen	les perdants magnifiques 775***
cohen	the favorite game 663***
collardelle-diarrassouba	le lièvre et l'araignée dans les contes de l'ouest africain 980*****
colombel	les murs de l'école 934*****
comte	discours sur l'esprit positif 97***
condé (maryse)	hérémakhonon 1033*****
contes wolof du baôl	(copans/couty) 1050***
contre althusser	906*****
copi	théâtre 792**
cox	la sphère d'or t. I 870*** t. II 871***
cravan/rigaut/vaché	trois suicidés de la société 880***
dallemagne	autogestion ou dictature du prolétariat 1069*****
deleuze	présentation de sacher masoch 571***
delfeil de ton	palomar et zigomar sont au pouvoir t. I 965****** (chroniques de charlie hebdo 1974-1)
delfeil de ton	palomar et zigomar tirent dans le tas t. II 966****** (chroniques de charlie hebdo 1974-2)
demarcy	éléments d'une sociologie du spectacle 749***
descartes	discours de la méthode 1***
deutscher	trotsky le prophète armé t. II 688****
le dix-huitième siècle en 10/8	1103 (18 f. ttc)
djebar	les enfants du nouveau monde 771***
dollé	le désir de révolution 985*****
dorsinville	l'afrique des rois 949**
dorsinville	un homme en trois morceaux 950**
doumayrou	géographie sidérale 1071*****
dufrenne	art et politique 889****
dufrenne	(mélanges) 931*****
dumas	le château d'eppstein 970*****
dumas	mille et un fantômes 911******
duras	moderato cantabile 64***
ehni	babylone vous y étiez, nue parmi les bananiers 761****
eisenstein	au-delà des étoiles (œuvres t. I) 896****
eisenstein	la non-indifférente nature (œuvres t. II) 1018******
eisenstein/nijny	mettre en scène 821***

eizykman	la jouissance-cinéma 1016*****
éléments pour une analyse du fascisme	(séminaires de maria a. macciocchi-paris VIII vincennes 1974-1975) t. I 1026******
	t. II 1038******
emmanuelle	t. I : la leçon d'homme 799****
emmanuelle	t. II : l'antivierge 837****
emmanuelle	t. III : nouvelles de l'érosphère 873**
emmanuelle	t. IV : l'hypothèse d'éros 910****
emmanuelle	t. V : les enfants d'emmanuelle 1059*****
emilienne	990******
engels	théorie de la violence 698****
engels/marx	la première critique de l'économie politique 667*****
l'enjeu du centre georges pompidou	(mollard) 1104*****
ewers	mandragore 757***
fabre/lacroix	communautés du sud, contribution à l'anthropologie des collectivités rurales occitanes
	t. I 925*****
	t. II 926*****
fata morgana	1095*****
fauré	les vies posthumes de boris vian 929******
fisher	la vie de lénine t. II 561***
flanders	contes d'horreur et d'aventures 681***
flanders	le monstre de borough 908***
flanders	le secret des sargasses 960*****
flaubert	(cerisy) la production du sens chez flaubert 995******
franklin	le discours du pouvoir 922******
freud/bullit	le président wilson 832****
friedman	utopies réalisables 997*****
georges	prof à t. 1098***
gombrowicz	ferdydurke 741***
gombrowicz	la pornographie 450**
goulemot	discours, histoire et révolution 1012*****
guérin	de l'oncle tom aux panthères 744***
granoff	mémoires - chemin de ronde
haddad	le quai aux fleurs ne répond plus 769*
haddad	l'élève et la leçon 770*
hampaté bâ	l'étrange destin de wangrin 785****
hegel	la raison dans l'histoire 235***
histoire du marxisme contemporain	t. I 1060******
	t. II 1061******
huysmans	l'art moderne/certains 1054******
huysmans	marthe/les sœurs vatard 973******
huysmans	en rade/un dilemme/croquis parisiens 1055******
huysmans	en ménage/à vau-l'eau 974******
huysmans	à rebours/le drageoir aux épices 975******
il y a des poètes partout	evue d'esthétique 1975-3/4 1001******